NANA, NENÊ

GARY EZZO E ROBERT BUCKNAM

NANA, NENÊ

COMO CUIDAR DE SEU BEBÊ PARA QUE ELE DURMA
A NOITE TODA DE FORMA NATURAL

Traduzido por CECÍLIA ELLER

Publicado originalmente pela Parentwise Solutions, Inc., uma divisão da Charleston Publishing Group, Inc., Mount Pleasant, SC, EUA.

Direitos para outras línguas, exceto o inglês, de Gospel Literature International - GLINT, Califórnia, EUA.

Dados Internacionais de Catalogação na Publicação (CIP)
(Câmara Brasileira do Livro, SP, Brasil)

Ezzo, Gary

Nana, nenê / Gary Ezzo; Robert Bucknam; traduzido por Cecília Eller. — 2. ed. ampl. — São Paulo: Mundo Cristão, 2013.

Título original: On Becoming Babywise.
Bibliografia.
ISBN 978-85-7325-831-8

1. Crianças 2. Crianças — Criação 3. Crianças — Cuidados 4. Crianças — Desenvolvimento 5. Pais e filhos I. Bucknam, Robert II. Título

97-2734 CDD-649.122

Índice para catálogo sistemático:
1. Crianças: Aprendizado e disciplina : Educação doméstica 649.122
Categoria: Educação

Associação Religiosa Editora Mundo Cristão
Rua Antonio Carlos Tacconi, 69, São Paulo, SP, Brasil, CEP 04810-020
Telefone: (11) 2127-4147
www.mundocristao.com.br

1ª edição: julho de 1997
2ª edição ampliada: fevereiro de 2013
13ª reimpressão: 2024

Dedicado a:
Ashley Nicole
Por entender que
"O amor jamais acaba".

Sumário

Agradecimentos 9
Prefácio 11
Introdução 13
1. Comece certo 17
2. Filosofias de alimentação 30
3. Os bebês e o sono 46
4. Verdades sobre a alimentação 61
5. Oriente o dia do seu bebê 90
6. Hora de ficar acordado e hora de dormir 116
7. Quando o bebê chora 151
8. Cólica, refluxo e bebê inconsolável 163
9. Assuntos diversos 180
10. Múltiplos: uma festa sem fim 203
Anexo 1 — Cuidados com a mãe e o bebê 216
Anexo 2 — O que esperar em cada momento 240
Anexo 3 — Solução de problemas 246
Anexo 4 — Monitore o crescimento de seu bebê 257
Anexo 5 — Tabelas de crescimento saudável do bebê 275
Índice de assuntos 284
Notas 290
Bibliografia 293

Agradecimentos

SEGUNDO VÁRIOS DICIONÁRIOS *on-line*, o propósito de fazer um "agradecimento" é exprimir uma dívida de gratidão e apreço a alguém que, de outro modo, não seria reconhecido. Estas páginas existem por causa disso. Embora a capa deste livro mostre nossos nomes como os autores, na verdade, foram muitas as pessoas de nossa comunidade de pensamento que dedicaram tempo, energia e talento para ajudar a transformar esta obra numa iniciativa conjunta para o bem comum. A maioria dos leitores nunca conhecerá pessoalmente esses que trabalharam nos bastidores, mas cada leitor se beneficiará de seus esforços.

Em que ponto estaríamos sem nossos conselheiros e amigos médicos? Queremos agradecer, de forma especial, ao dr. Robert Turner por fornecer supervisão nas questões relativas à neurologia pediátrica e aos drs. Jim Pearson, Stuart Eldridge e Luke Nightingale, que nunca se cansaram de nossas muitas perguntas. E expressamos nossa gratidão especial aos amigos de longa data, dra. Eleanor e sr. Clay Womack, pela contribuição no capítulo 10, sobre o cuidado de gêmeos e trigêmeos.

Também desejamos demonstrar gratidão e apreço profundos a Nathan Babcock pela revisão editorial. A combinação de intelecto com paixão pela clareza contribuíram num momento crucial desta edição atualizada. Acompanhando Nathan, estão Tommye Gadol, Geoff e Alicia Bongers, cujas observações e comentários úteis foram recebidos com alta estima e grande apreço. Também agradecemos o auxílio de Cyndi Bird, que sistematicamente nos forneceu diversos exemplos e explicações sobre os desafios que as mães, com seu olhar vigilante, encontrarão nas horas de dormir e de ficar acordado. Destacamos também Joe e Nancy Barlow, que foram uma fonte infinita de incentivo e apoio.

Trazendo mais para perto nosso apreço, temos a honra de trabalhar com uma equipe de jovens casais, cuja voz coletiva trouxe a esta mensagem um novo nível de clareza que, sozinhos, nunca teríamos logrado. Entre muitos, estão Rich e Julie Young, que desempenharam papel fundamental no refinamento de vários conceitos de *Nana, nenê*. Além dos Young contamos também com Greg e Tara Banks, Alan e Candace Furness, Shawn e Connie Wood. A todos os colaboradores, nosso muito obrigado.

Prefácio

DEPOIS DE CONCLUIR a faculdade de Medicina e fazer residência em ginecologia e obstetrícia, eu achava que tinha conhecimento suficiente para ser pai. Com a minha formação médica e a graduação de minha esposa em desenvolvimento infantil, que dificuldades poderíamos ter ao nos tornar pais? Simplesmente faríamos o que fosse natural e seguiríamos nossos instintos. Certo? Errado!

Pouco depois do nascimento de nosso primeiro filho, vimos o entusiasmo e a confiança se transformarem em cansaço e frustração. Minha esposa acordava quatro vezes por noite e meu filho ficava extremamente irritado ao longo do dia. O conselho não solicitado que costumávamos receber de colegas era alimentar o bebê com frequência ainda maior, pois presumiam que meu filho chorava de fome. E foi isso que fizemos: nós o alimentamos, dia e noite, a cada duas horas. Conforme descobrimos posteriormente, essa era a causa do problema, não a cura.

Os cientistas conseguiram levar o homem à lua, mas não foram capazes de responder aos problemas mais básicos do início do cuidado com os filhos: como ter um bebê feliz e satisfeito que dorme a noite inteira assim como o restante da família, e uma mãe que não permanece em estado de exaustão.

Por causa de nosso interesse comum em crianças e na criação de filhos, minha esposa e eu tomamos conhecimento da obra e das conquistas de Gary e Anne Marie Ezzo. Os conceitos básicos e amorosos dos Ezzo a cerca dos cuidados com os recém-nascidos praticamente eliminaram os problemas citados anteriormente e muitos outros. Tenho observado pessoalmente os bebês orientados pelos princípios dos Ezzo e aqueles que não são. Fica claro que os pais com acesso às informações corretas fazem a diferença.

Esse foi um dos motivos para, mais de vinte anos atrás, eu ter feito a transição da obstetrícia para a pediatria. Com a mudança, vieram os princípios clinicamente sensatos de *Nana, nenê*. Eles funcionam de forma consistente, não só para os milhões de crianças, cujos pais já entraram em contato com o trabalho de Gary e Anne Marie, mas também para meus quatro filhos, os filhos de meus colegas de profissão, os filhos de meus amigos e também todos os meus pacientes.

O mínimo que posso dizer é que *Nana, nenê* proporcionou uma reforma necessária nos conselhos pediátricos dados aos novos pais. Quando eles chegam exaustos e desanimados, contando-me as histórias lamentáveis de noites insones e bebês irritadiços, posso lhes dar uma receita positiva que cura o problema: entrego-lhes um exemplar de *Nana, nenê*.

DR. ROBERT BUCKNAM
Louisville, Colorado

Introdução

Os princípios de *Nana, nenê* foram partilhados pela primeira vez em 1984. Sarah foi a primeira menina a ser criada com os princípios, e Kenny, o primeiro menino. Ambos se desenvolveram muito bem com o leite da mãe e uma rotina básica, e os dois dormiram a noite inteira às sete semanas de vida. Foi fácil assim. De amigo para amigo, cidade a cidade, estado a estado e país a país, a mensagem positiva continua a se espalhar. Hoje não contamos mais as histórias de sucesso em milhares, nem mesmo em dezenas de milhares, mas, sim, em milhões de bebês felizes e saudáveis que ganharam o *presente* do sono noturno.

Assim como a edição anterior, esta atualização não dá aos pais uma lista do que fazer e do que não fazer. Queríamos que o cuidado dos filhos fosse mais simples. Em lugar disso, nosso objetivo mais amplo é ajudar a preparar mentes para a tarefa extraordinária de criar um filho. Acreditamos que o preparo da mente é muito mais importante que a preparação do quarto do bebê. Seu filho não vai se importar se descansar a cabeça em lençóis de marca ou ao lado de personagens da Disney. Seu sucesso não estará ligado ao guarda-roupa do bebê nem aos acessórios do quartinho, mas, sim, às crenças e convicções que moldarão por fim sua experiência como mãe ou pai.

Defendemos que as realizações de um crescimento saudável, bebês satisfeitos, sonecas de qualidade ao longo do dia e períodos acordados divertidos, bem como o presente do sono noturno, são valiosas demais para serem deixadas ao acaso. Elas necessitam ser orientadas e administradas pelos pais. Tais objetivos são alcançáveis, pois os bebês nascem com a *capacidade* de atingir essas metas e, igualmente importante, eles *precisam* atingi-las. Nosso alvo é demonstrar *como* isso pode ser feito, mas somente depois de explicar *por que* fazê-lo.

Reconhecemos que diversas teorias sobre criação dos filhos estão sendo divulgadas hoje, a maioria delas revestida de promessas nada realistas e fardos desnecessários. Considerando a variedade tão grande de opções, como os novos pais podem descobrir o que é melhor para sua família? Cada filosofia de criação dos filhos tem um resultado único; incentivamos, portanto, os novos e futuros pais que analisem, avaliem e decidam qual abordagem é melhor para sua família. É possível fazer isso observando os resultados finais. Passe tempo com parentes e amigos que seguem a teoria da criação com apego no cuidado do bebê. Observe aqueles que praticam a hiperorganização dos horários e, claro, avalie os resultados ligados os princípios de *Nana, nenê*.

Em quais lares você observa ordem, paz e tranquilidade? Analise o casamento, assim como os filhos. A mãe fica num estado constante de exaustão? A alimentação do bebê ocorre no mínimo a cada duas horas? O pai dorme no sofá? Como é a vida familiar quando a criança tem 6, 12 e 18 meses? A mãe está estressada, frustrada ou sem confiança? O bebê parece estressado, exausto ou inseguro? Quando o bebê tem 9 meses de vida, os pais podem sair do quarto sem que ele entre em colapso emocional? Acreditamos que a maior avaliação de qualquer filosofia de criação dos filhos, inclusive da defendida por este livro, não se encontra no raciocínio ou na lógica da hipótese, mas, sim, nos resultados finais. Deixe seus olhos confirmarem o que dá certo e o que não funciona. Você ficará mais confiante para cuidar de seus filhos quando vir os resultados desejados vividos em outras famílias que usam a mesma abordagem. Observe o *fruto* e descubra qual foi a *semente* que o originou.

A seção de anexos deste livro contém tabelas, planilhas e informações adicionais sobre o cuidado de bebês. Os anexos de um livro nunca devem ser considerados menos importantes do que o corpo da obra, mas de importância *diferente*. Por favor, leia-os na ordem em que são citados nos capítulos.

Há algumas questões terminológicas que gostaríamos de abordar. Ao ler cada capítulo, você verá que usamos o gênero masculino na maioria das ilustrações. Isso foi feito por conveniência. Os princípios, é claro, funcionam igualmente bem com meninas. Além disso, na tentativa de falar diretamente com a comunidade de pais, usamos, com frequência, os pronomes *você*, *seu(s)* e *sua(s)* para nos dirigir aos leitores. Sabemos que nem todos os leitores deste livro são pais, mas a grande maioria é, por isso nos apegamos às expressões em terceira pessoa. Por fim, o nome para criança mais usado neste livro é "bebê".

Os princípios nestas páginas podem ajudar os pais a desenvolver estratégias aproveitáveis que atenderão às necessidades de seus bebês e do restante da família. Eles funcionaram para milhões de pais e, se aplicados com consistência, poderão funcionar de maneira maravilhosa para você! No entanto, o pediatra ou médico da família sempre deve ser consultado quando surgirem questões ligadas à saúde e ao bem-estar de seu bebê. Aproveite a jornada da criação de seus filhos!

GARY EZZO

1

Comece certo

COM EXCEÇÃO DA CRIANÇA órfã, a maioria das pessoas cresce em uma família, na qual, desde o nascimento, aprende uma forma de vida que dá sentido a sua existência. Para a maioria de nós, a palavra *lar* significa mais do que meras memórias casuais de uma época e um lugar no qual passamos a infância; foi a primeira sociedade em que aprendemos sobre a vida em si. É dentro dos limites do lar que todos experimentam, pela primeira vez, o repertório das emoções humanas e observam como os outros reagem. Aprendemos o sentido da simpatia, da empatia e do cuidado. Absorvemos valores culturais e familiares, e mensuramos nosso compromisso com esses valores pela forma que os outros respondem a eles. O lar é o local em que se recebe a primeira definição de amor, por meio do cuidado e da atenção que recebemos. Ele se torna o ambiente no qual a segurança é ganha, perdida ou, talvez, nunca obtida.

A palavra *lar* é tão carregada de significância que não é possível começar uma conversa sobre o cuidado de bebês sem antes falar da persuasiva influência que o ambiente do lar exerce, em especial durante o primeiro ano, cuja importância é crítica. Desde o primeiro banho até o último dia na terra, nada causará mais impacto na vida de uma pessoa do que a influência que a mãe e o pai exercem sobre o ambiente do lar. Isso acontece porque nenhum outro relacionamento na vida da criança tem importância mais elevada e duradoura do que o existente entre os pais e o filho. De igual modo, nenhum outro relacionamento é capaz de testar mais a personalidade e a determinação dos pais do que o vínculo com os filhos.

Quais são as preocupações básicas do processo de criação dos filhos? Que perguntas os futuros pais devem se fazer, quais pressupostos devem aceitar ou rejeitar no que se refere à preparação para o compromisso permanente da paternidade e maternidade?

Embora reconheçamos que a criação dos filhos seja algo muito pessoal, também sabemos que existem determinados pressupostos sobre os bebês e o cuidado com eles que podem servir de guias poderosos para alcançar resultados de sucesso. Contudo, exporemos com franqueza quais deles evitar se você estiver buscando assegurar um sólido alicerce físico, emocional e neurológico sobre o qual seu bebê possa se firmar.

O desafio

Com muita frequência, os casais iniciam a vida de pais com a esperança de que uma sensação abrangente de clareza surgirá de maneira espontânea, sem precisarem se esforçar para aprender o básico da criação de filhos. Mesmo com algum preparo em sala de aula, os pais de primeira viagem costumam se chocar, assim que o bebê chega, com o quanto a vida deles muda para se ajustar às necessidades do recém-nascido. Para a mãe, o desafio é físico e emocional. Ela não pode mais depender do relacionamento intrauterino que se encarregava de proteger e nutrir o bebê. Agora as necessidades específicas do recém-nascido devem ser combinadas com a compreensão de como satisfazê-las da melhor maneira. É o momento em que ela se familiariza com todos os novos sons do bebê que, de repente, despertam um misto de emoções nunca antes vivenciado. Ela será tomada pela sensação pungente de cuidar do bebê, prover para ele e protegê-lo.

Também é um período de adaptações para o pai, que começa com a necessidade de dividir sua melhor amiga e esposa com o filho. Em essência, ele abre mão de algo para ganhar mais. A mudança também influencia o tempo livre da mãe e do pai. Os momentos passados juntos antes da chegada do bebê precisavam de menos planejamento. Agora, porém, nada pode ser feito no calor do momento sem antes se perguntar: "E o bebê?". Com um recém-nascido em casa, a vida muda para sempre e os futuros pais devem aceitar plenamente aquilo que se tornará o *novo normal*. Contudo, é nesse ponto que começa o desafio.

Alguns pais presumem, otimistas, que a vida não mudará drasticamente com um recém-nascido em casa. Isso não é verdade, tampouco o extremo oposto de esperar que a tranquilidade da vida doméstica anterior ao bebê se dissolverá num estado incorrigível de caos contínuo. Com um bebê no horizonte, a vida tal qual você a conhece mudará, pois a mudança é a ordem do dia. O sucesso dos pais em transitar por essas transformações e administrá-las depende de sua compreensão das micro e macronecessidades comuns a todos os bebês e, claro, do conhecimento da melhor maneira de satisfazer a essas necessidades.

O que falta?

Aconselhamos muitos casais que iniciam a jornada paternal com altas expectativas e as melhores intenções de amar seus recém-nascidos e cuidar deles, tão somente para ver seus sonhos reduzidos a um pesadelo de sobrevivência. Quem são essas pessoas? São pais como tantos outros: o gentil casal que você conheceu no curso de preparação para o parto, a família que mora em sua rua, ou o vizinho ao lado, que pendurou uma faixa de boas-vindas e balões cor-de-rosa na entrada de casa, anunciando a chegada da Fernanda. Essas mães e esses pais conhecem uma longa lista de fatos sobre o bebê, mas carecem do *entendimento* de como eles se encaixam no quadro mais amplo da vida. Embora os fatos possam prover um plano, somente o entendimento proporciona propósito. O que é entendimento e por que ele é importante?

O entendimento, como conceito de aprendizado, é o mecanismo que dá sentido e valor aos fatos. Vai além do momento e vislumbra o futuro. Criar os filhos com um entendimento repleto de propósito conecta cada momento ao dia, cada dia à semana, cada semana ao mês e um mês de ação a um ano de conquistas. O entendimento permite que os pais encontrem o caminho certo e permaneçam nele com um número mínimo de desvios de trajeto. É também um pré-requisito necessário para tomar decisões sábias e produtivas. Nosso objetivo, neste livro, é dar aos novos e futuros pais o tipo de entendimento que proporcionará confiança à mãe e ao pai, e segurança permanente para o bebê.

Comece aqui: construa um ambiente amoroso no lar

Com 25 anos de experiência pediátrica e de capacitação de pais, junto os milhões de partidários dos princípios de *Nana, nenê*, aprendemos algumas coisas sobre recém-nascidos, pais e filosofias de criação dos filhos. No topo da lista está a verdade: os resultados comuns aos bebês educados com os princípios de *Nana, nenê* são conquistas valiosas demais no desenvolvimento deles para serem deixadas ao acaso. Elas são orientadas pelos pais, não pela criança.

Segundo, sabemos que os pais se apaixonam por seus bebês de forma natural e instantânea. Assim é o amor dos pais. Entretanto, amar seu bebê não é o mesmo que lhe oferecer um ambiente amoroso no lar. Um ambiente doméstico saudável começa com o compromisso da mãe e do pai entre si. A partir desse comprometimento, um amor mais perfeito é comunicado aos filhos.

Terceiro, um ambiente amoroso no lar não é algo que surge naturalmente. Ele exige trabalho e sacrifício, requer que tanto a mãe como o pai sejam intencionais no amor que sentem um pelo outro. Também é necessário que pais adquiram entendimento das três principais influências que moldam o destino de cada criança. O que define o ambiente do lar? É nele que as crianças aprendem sobre o amor pela primeira vez. De quem elas aprenderão? Em parte com a mãe e em parte com o pai, mas o aprendizado mais consistente virá da mãe e do pai trabalhando em equipe. É por isso que a mãe e o pai não conseguem comunicar a mensagem total de amor fora da união que se forma por meio dos laços do casamento.

O casamento é mais do que um acordo legal entre duas pessoas; é uma entidade viva que reflete um elo especial entre um homem e uma mulher — trata-se de um relacionamento único, sem paralelos. Embora o casamento transcenda todos os outros relacionamentos, não está desconectado da criação dos filhos. Assim como o coração humano bombeia sangue rico em oxigênio para o corpo, o casamento saudável enche todas as células que fazem a paternidade e a maternidade ganharem vida. É de fato um relacionamento extraordinário! É por isso que casais com um bom casamento se tornam bons pais e seus filhos colhem os benefícios.

O fator conjugal

O final dos contos de fada: "E viveram felizes para sempre" presume que a felicidade seja um resultado espontâneo do casamento, que não necessita de esforço para se alcançar. Nada poderia estar mais longe da verdade. Os homens não nascem bons maridos, nem as mulheres, boas esposas. Eles se tornam assim por meio de sacrifício pessoal, paciência e um compromisso dedicado à felicidade e ao bem-estar do outro. É, portanto, necessário que marido e mulher se lembrem de que não *encontrarão* felicidade de longo prazo no casamento, mas, em vez disso, poderão *conquistá-la* por meio do casamento, que influencia a maternidade e paternidade. Isso significa que a união entre marido e mulher não é apenas um bom primeiro passo rumo ao sucesso na criação dos filhos, mas, sim, um fator necessário, do qual seus filhos dependerão.

Embora a principal ênfase deste livro seja o cuidado com seu recém-nascido, seríamos remissos em nossos esforços educacionais se deixássemos de explicar o que transforma esperança em realidade. Acreditamos que, se você ama de verdade seus filhos, dará a eles o presente do amor, da segurança e uma sensação de pertencimento que só podem derivar de uma demonstração contínua de amor um pelo outro como marido e mulher. Trata-se de um amor enraizado na segurança de pertencer, ser pleno e se sentir necessário, na forma de "alma gêmea" que completa o outro. Os seres humanos, diferentemente dos membros do reino animal, possuem um fio de DNA emocional que não permite ao eu interior se satisfazer apenas com o lado físico do relacionamento conjugal. Em parte, é isso que nos distingue em seres humanos! Quando o marido e a mulher não são um nos aspectos emocional, físico e social, apresentam falhas em seu relacionamento, as quais acarretam consequências indesejadas para os filhos.

O impacto sobre os filhos

Embora o marido ou a esposa possam ser capazes de lidar com a parte ausente, as crianças não se saem tão bem. Os bebês não conseguem depender da razão ou do intelecto para medir a estabilidade do mundo a seu redor; em vez disso, dependem intensamente de seus sentidos. Há determinados aspectos do relacionamento conjugal que as crianças necessitam testemunhar de forma rotineira. Elas precisam ver um relacionamento amoroso constante que inclui a mãe e o pai desfrutando um do outro como amigos, não só como pais. Também necessitam ver os pais conversando, rindo, trabalhando juntos e resolvendo conflitos com respeito mútuo. É impossível enfatizar em excesso este ponto: quanto mais os pais demonstram amor um pelo outro, mais saturam os sentidos da criança com a confiança de um mundo amoroso e seguro. Essa espécie de relacionamento conjugal dá à criança uma camada de amor e segurança que não pode ser conquistada por meio do relacionamento direto entre pais e filhos — mesmo durante a primeira infância. Quando todos esses fatores se reúnem, eles formam um ambiente saudável no lar.

A advertência

Com muita frequência, os pais perdem de vista o quadro mais amplo, ou talvez nunca o tenham entendido. Perdem-se no país das maravilhas da criação de filhos, com fotos, passinhos e primeiras palavras. O bebê se torna o centro de sua vida, em detrimento do próprio relacionamento de marido e mulher. Isso pode ser divertido para a mãe e o pai por um tempo, mas não ajuda o bebê. A maior influência que os pais exercem sobre os filhos não ocorre em seu papel individual, mas no papel compartilhado de marido e mulher.

Um relacionamento conjugal saudável e vibrante é essencial para a saúde emocional dos filhos (assim como para o bem-estar emocional dos pais). Quando existe harmonia no casamento, a estabilidade é disseminada dentro da família. E ainda mais garantido, casamentos fortes proveem um refúgio seguro para as crianças à medida que amadurecem. Isso se dá porque relacionamentos conjugais saudáveis e amorosos criam uma sensação de certeza nos filhos. Quando uma criança observa a amizade especial e a união emocional de seus pais, torna-se naturalmente mais segura por sua confiança no relacionamento entre a mãe e o pai. Em contrapartida, casamentos frágeis não comunicam segurança ao coração dos filhos nem incentivam a criação de fortes laços familiares. Com o tempo, os pais percebem que a qualidade do relacionamento entre pais e filhos e entre irmãos costuma refletir a qualidade do relacionamento entre a mãe e o pai.

Pense nisso. Quando o relacionamento conjugal é belo, qual criança, com sua mente impressionável, não desejaria partilhar da mesma alegria? Quando dois lindamente se tornam *um*, qual criança não buscaria o conforto dessa união? Os pais definem o sentido do amor para seus filhos tanto pelo que acontece no relacionamento entre os dois quanto por qualquer coisa que façam pelas crianças. Paternidade e maternidade saudáveis surgem de um casamento saudável. Proteja o seu!

Atenda às necessidades de todos

O que os pais precisam saber para manter o casamento vivo e próspero a fim de maximizar sua influência na criação dos filhos? Aqui estão alguns princípios de ação:

1. *Continue a viver! A vida não para depois que o bebê chega. O ritmo pode diminuir por algumas semanas, mas não deve parar por completo.* Quando um casal se torna mãe e pai, eles não deixam de ser filhos, irmãos e amigos. Os relacionamentos importantes antes da chegada do bebê continuam a ser relevantes após o nascimento. Eles merecem ser protegidos e preservados. Demonstre hospitalidade e convide os avós e amigos para uma visita assim que a vida se estabilizar.

2. *Namore seu cônjuge.* Se vocês costumavam sair juntos uma vez por semana antes do nascimento do bebê, deem continuidade a essa prática assim que puderem depois da chegada do filho. Se vocês não tinham esse hábito, agora pode ser um bom momento para começar. Não precisa ser um programa caro nem tarde da noite,

mas manter vivo o casamento é o ponto de partida para conservar toda sua família emocionalmente saudável.

3. *Continuem a fazer os gestos amorosos que eram apreciados antes da chegada do bebê.* Se havia uma atividade especial que vocês apreciavam antes, é importante colocá-la na agenda. Se o pai leva para casa um presente para o bebê, que tal levar um para a mãe também? A ideia é básica. Os gestos de amor que tornavam o casamento especial antes da chegada do bebê precisam continuar a ser especiais ao longo dos anos de criação dos filhos.

4. *Cultivem a hora do sofá.* Ao final de cada dia de trabalho, passe pelo menos quinze minutos sentado com o cônjuge falando dos acontecimentos do dia. Essa prática simples proporciona aos filhos uma sensação tangível da união dos pais e preenche uma de suas maiores necessidades emocionais: a de saber que a mãe e o pai nutrem um forte sentimento de amor um pelo outro. Quando as crianças percebem harmonia no relacionamento conjugal, a estabilidade se espalha por todo o lar.

Estas são algumas sugestões que podem ajudar a promover e proteger a hora do sofá: tentem fazê-la de segunda a sexta-feira e escolham um horário que os ajudará a ser relativamente constantes. Trate este momento como um compromisso inegociável, com o mínimo possível de interrupções. Isso significa que o telefone deve ficar fora do gancho e o celular no modo silencioso. Com o tempo, à medida que seu bebê crescer, separe uma caixa de brinquedos para ele brincar enquanto o papai e a mamãe têm seu momento juntos. Fazer do casamento uma prioridade por meio de uma demonstração visual do amor que vocês sentem um pelo outro no primeiro plano da criação dos filhos é um presente de amor que eles entenderão intuitivamente, apreciarão e no qual encontrarão segurança.

5. *Saibam o que esperar um do outro antes da chegada do bebê.* Para os novos pais, os primeiros dias em casa com o bebê são os mais

difíceis, simplesmente porque tudo é novo e desconhecido. Cada casal parece encontrar naturalmente seu esquema de responsabilidades familiares antes da chegada do bebê, mas e depois? Se for o primeiro filho, você ainda precisará ouvir os vários barulhinhos que o bebê fará e descobrir como o choro dele afetará suas emoções no pós-parto. Acrescente esses fatores aos desafios da alimentação e do sono, e logo você descobrirá como as primeiras semanas podem ser estressantes.

Para ajudar a reduzir o estresse que um bebê pode trazer a uma casa, os pais devem separar tempo para trabalhar as expectativas de um em relação ao outro, antes do nascimento do filho. Cada um deve saber quais atividades domésticas são de sua responsabilidade. Quem cuidará de lavar roupas e cozinhar, fazer compras, limpar o chão, tirar o pó e se levantará para pegar o bebê para ser alimentado no meio da noite?

Pode parecer uma lista de afazeres insignificantes agora, mas garantimos que essas tarefas domésticas comuns não são tão insignificantes assim depois da chegada do bebê. Separe um pouco de tempo para conferir a lista de "Quem faz o quê" abaixo. Assinale os quadrados que representam as responsabilidades do pai e as que se referem às responsabilidades da mãe. Lembre-se de que haverá visitas de parentes; por isso, ajudar na casa é um "ingresso" justo para ver o bebê.

LISTA DE "QUEM FAZ O QUÊ"

Mãe	Responsabilidade do lar	Pai
	Lavar roupas	
	Tirar roupas do varal	
	Passar	
	Guardar as roupas	

	Compras no supermercado	
	Guardar as compras	
	Preparar o café da manhã	
	Preparar o almoço	
	Preparar o jantar	
	Lavar a louça (ou colocar na lava-louça)	
	Guardar a louça	
	Organização geral da casa	
	Lavar banheiros	
	Varrer o chão e passar pano	
	Tirar o pó dos móveis	
	Arrumar a cama	
	Trocar os lençóis	
	Aguar as plantas	
	Tirar o lixo	
	Alimentar o animal de estimação	
	Limpar a sujeira do animal de estimação	
	Levar o cachorro para passear	
	Cuidar do jardim	
	Pegar a correspondência	
	Pagar as contas	
	Fazer os serviços bancários	
	Cuidar da manutenção do veículo	
	Outra:	
	Outra:	
	Outra:	
	Outra:	

Mãe	Responsabilidade com o bebê	Pai
	Enviar comunicado do nascimento do bebê	
	Escrever cartões de agradecimento	
	Alimentar o bebê (se alimentado pela mamadeira)	
	Trocar fraldas	
	Buscar o bebê à noite para ser amamentado	
	Alimentação noturna (se alimentado pela mamadeira)	
	Dar banho no bebê	
	Confortar o bebê quando ele estiver irritado	
	Cuidar dos outros filhos	
	Outra:	
	Outra:	
	Outra:	
	Outra:	

Uma palavra à mãe solteira e ao pai solteiro

Na vida, enfrentamos desafios inesperados que nos afastam do ideal. No ambiente do lar, o ideal é exercer o papel de pai e mãe dentro da força do relacionamento conjugal. Reconhecemos que o ideal não se faz presente em todos os lares. A morte de um cônjuge, o divórcio ou uma gravidez não planejada podem fazer os sonhos desaparecerem sob uma nuvem de desânimo. Nosso trabalho com mães e pais solteiros há mais de 25 anos nos levou a entender as pressões e os desafios que essas pessoas enfrentam. Elas têm trabalho dobrado nos cuidados e nas responsabilidades de criar um bebê, ao mesmo tempo em que costumam equilibrar as funções de donos de casa, provedores e pais.

No entanto, sabemos também que você, mãe solteira ou pai solteiro, amará seu bebê com a mesma intensidade que qualquer casal e desejará dar a ele a melhor chance na vida. Sentimos alegria por ajudar cada mãe e pai a maximizar seus recursos emocionais e intelectuais, a despeito de seu estado civil. Se você está por conta própria na criação de um filho, por favor, saiba que, apesar de talvez se sentir deslocado em vários ambientes, você sempre é bem-vindo em nossa comunidade.

Resumo

Na criação dos filhos, tudo está conectado: o começo com o fim e também tudo que está no meio do caminho. Isso quer dizer que os pais nunca conseguem agir, num dado momento, sem que suas ações exerçam algum impacto sobre o futuro. Isso se aplica não só ao papel de mãe e pai, mas também ao de marido e mulher. Conforme demonstraremos no próximo capítulo, as decisões quanto à maternidade e paternidade têm um efeito dominó que conecta nossas crenças e pressuposições a nossos atos, e os atos aos resultados.

2

Filosofias de alimentação

CERTO DIA, SENTADO À BEIRA de um lago tranquilo, entretive-me com três crianças — seus pés pequeninos correndo de um lado para o outro enquanto procuravam a pedra perfeita para atirar no lago. Quem, quando criança, nunca tentou, em algum momento, fazer uma pedra quicar pela superfície plana de um lago, ou jogou uma pedrinha numa poça de água e então observou os perfeitos círculos concêntricos se expandirem? O peso da pedra em contato com a superfície gera a energia que causa as ondulações, mas a fonte que deu vida à energia foi a decisão de atirar a pedra na água.

Há um princípio para o cuidado dos filhos ligado a essa metáfora: *toda decisão tomada e toda ação feita em resultado de nossas crenças e pressuposições pessoais colocam em movimento um efeito dominó de resultados correspondentes. Os resultados estão ligados à natureza de nossas crenças.*

Nossas ações afetam não só aquilo que vemos, mas também o que não vemos, por vezes produzindo consequências indesejadas. Por exemplo, a pedra que atinge a água poderia assustar filhotes de tartaruga que boiavam perto da superfície, levando-as para o fundo, quem sabe para perto de um predador; o barulho da batida poderia alarmar alguns pássaros aquáticos e fazê-los alçar voo, deixando para trás um *habitat* familiar que proporciona alimento e segurança. Se esses efeitos colaterais ocorrerem, eles remontam a nós, por causa de uma única decisão momentânea de jogar uma pedra.

Efeito dominó na alimentação

Talvez você pense que estabelecer bons hábitos de alimentação seja a parte mais fácil no cuidado de um recém-nascido, já que seu impulso de satisfazer a fome é um dos mais fortes na vida. Na superfície, parece tudo bem simples: o bebê está com fome, você o alimenta. O que mais é preciso saber? Infelizmente, não é tudo assim tão claro.

No que se refere aos bebês, o princípio do efeito dominó fica claramente evidente em algo tão básico como a forma e a hora de alimentá-los. Conforme demonstraremos neste e em outros capítulos, a filosofia de alimentação que a mãe e o pai escolherem produzirá uma série sempre crescente de ondas que causarão impacto sobre cada aspecto da vida do bebê. Cada filosofia de cuidado com os filhos tem a própria patologia, levará os pais para direções diferentes e produzirá resultados distintos. Cada filosofia de alimentação traz consigo um conjunto diferente de prioridades no cuidado dos filhos e também de opiniões quanto àquilo que é melhor para o bebê, embora não haja consenso sobre o que *melhor* significa e como é possível alcançá-lo. Isso ocorre porque cada prioridade no cuidado dos filhos é guiada por visões de mundo e crenças mais amplas sobre as crianças, a sua origem, a sua natureza e as suas necessidades básicas. As prioridades diferentes conduzem os pais inevitavelmente a diferentes estratégias de cuidado e, em consequência, a resultados diferentes.

Infelizmente, quando os objetivos e as prioridades de cada filosofia são apresentados, todos parecem nobres e convincentes, mas os resultados não são iguais. Quanto mais os pais compreendem cada filosofia de alimentação, mais bem preparados se encontram para tomar uma decisão consciente para o benefício do bebê. Vamos examinar as três filosofias de alimentação mais conhecidas em nossa sociedade e descobrir o que elas podem nos ensinar sobre as teorias atuais de cuidado dos filhos.

A evolução das filosofias de alimentação

Antes do surgimento de teorias sobre a primeira infância, no século 20, era o bom senso que orientava os pais com um pensamento sensato que levava a resultados previsíveis. As mães amamentavam os bebês com base em sinais de fome, mas também em sincronia com seus deveres domésticos diários. A rotina fazia parte do dia delas e a rotina de alimentação era parte da vida dos bebês. Hoje, além de uma variedade de filosofias de alimentação à disposição dos pais, há também o jargão próprio de cada filosofia.

Por exemplo, durante a gravidez, você pode ter sido incentivada a alimentar seu bebê por *livre demanda*, ou advertida a não seguir um *horário*, especialmente se tem a intenção de amamentar. Talvez você tenha ouvido sobre um *horário por demanda* ou *horário autorregulado*. É possível que tenha sido encorajada a adotar uma *alimentação natural* e a evitar a *hiperorganização dos horários*. É claro que a *hiperorganização dos horários* é rígida e a *alimentação rígida* não é tão boa quanto a *alimentação determinada pelo choro*. Mas a última é menos desejável do que a *alimentação orientada por sinais*, que é semelhante à *alimentação responsiva*. E, por fim, mas não menos importante, há a *alimentação via mamadeira*. Onde é que isso se encaixa? Vejamos se conseguimos entender todos esses títulos ao voltarmos para o último século, a fim de examinar a origem das filosofias de alimentação da atualidade.

Filosofia do behaviorismo: alimentação pelo relógio

Embora o século 19 tenha sido palco de um movimento de teorias sobre desenvolvimento infantil, foi só no século 20 que duas escolas de pensamento opostas chamaram a atenção do público. A primeira foi a escola behaviorista, que surgiu no início dos anos de 1900. Os behavioristas defendiam que os estímulos ambientais eram a influência primária sobre o comportamento humano. Ao mesmo tempo, menosprezavam a influência dos fatores internos como as emoções, a força de vontade e a natureza humana. Criam que, se você conseguisse controlar as influências ambientais, conseguiria produzir a criança perfeita.

O behaviorismo recebeu um impulso involuntário com o crescimento do movimento feminista dos anos de 1920, simbolizado por cabelos curtos, saias curtas, contraceptivos, cigarros e alimentação via mamadeira substituindo a amamentação. Esta se tornou possível por causa da descoberta de uma equação algébrica chamada de *fórmula infantil.* Como a "fórmula" poderia ser oferecida a qualquer momento, surgiu uma nova prática de alimentação chamada de alimentação por horário ou "alimentação pelo relógio".

Um regime de alimentação a cada quatro horas era considerado o melhor para a criança e toda "boa" mãe deveria segui-lo à risca. O bebê que desse sinais de fome antes de quatro horas deveria ser deixado chorando, porque era o relógio, não o bebê, que determinava quando a alimentação ocorreria, com pouca consideração pelas necessidades imediatas da criança ou pela inclinação natural dos pais de intervir.[1]

A filosofia do neoprimitivismo: alimentação orientada pelo bebê

No meio da década de 1940, uma segunda teoria, uma adaptação dos pontos de vista de Sigmund Freud, começou a questionar diretamente a rigidez do behaviorismo. Um pequeno grupo de seguidores de Freud do século 20 propôs a ideia de que as crianças nascem com danos psicológicos resultantes do *processo de nascimento.* Trabalhando com base no vácuo do conhecimento científico limitado da época, especulava-se que o trabalho de parto e o nascimento eram tão traumatizantes para a criança que se tornavam a fonte de todas as inseguranças e de todos os desequilíbrios mentais futuros.

Otto Rank foi o psicanalista austríaco que leva o crédito de ter sido o primeiro defensor da perspectiva do *trauma do nascimento* (1929). Embora sua teoria não tenha sido aceita logo que foi proposta, acabou inspirando a escola *neoprimitivista* do desenvolvimento infantil, apoiada por Ribble (1944), Aldrich (1945), Frank (1945) e Trainham, Pilafian e Kraft (1945). O título "neoprimitivistas" não é depreciativo; em vez disso, reflete uma escola de pensamento específica, a qual postula que a separação no nascimento interrompe a harmonia relacional intrauterina entre a mãe e a criança. Portanto, o principal objetivo nos primeiros cuidados com o bebê é o *restabelecimento* ou *reapego* emocional do recém-nascido.

A teoria trabalha com o bizarro pressuposto duplo de que os bebês dentro do útero têm um relacionamento "emocional" perfeito com a mãe, mas perdem o apego durante o processo de nascimento. Isso leva ao segundo pressuposto: todo recém-nascido tem o desejo subconsciente e constante de retornar para a segurança do útero materno. Uma vez que isso é uma impossibilidade física, a mãe deve criar e imitar um ambiente artificial parecido com o útero, e mantê-lo por muito tempo depois do nascimento. Todos os seus esforços se voltam para reverter o *choque físico* proporcionado pelo trauma do nascimento.

Dessa teoria surgiram protocolos muito específicos de reapego. Esse processo de reapego emocional do bebê exige a presença e a disponibilidade da mãe dia e noite, que é incentivada a retornar para um "estilo primitivo" de cuidados.[2]

> O bebê deve ser embalado sem cessar, dormir com a mãe e ser amamentado até o segundo ou terceiro ano de vida. A criança deve ser o centro do universo familiar, no qual todas as práticas cooperam para seu conforto e minimizam sua ansiedade.[3]

Em 1949, a teoria do trauma do nascimento foi desacreditada com ceticismo considerável pela falta de dados objetivos verificáveis. Mais ou menos na mesma época, a escola do behaviorismo, embora ainda forte, começava a perder influência, em parte por causa de um pediatra promissor, cujo primeiro livro vendeu 50 milhões de exemplares ao longo de sua vida. Seu nome era dr. Benjamin Spock e o livro, *Meu filho, meu tesouro*. Pelos padrões atuais, o dr. Spock era moderado, conhecido por defender o cuidado dos filhos usando o bom senso, salientando que os bebês são únicos e, por isso, seriam mais bem servidos com uma rotina flexível do que com um horário fixo. Ele rejeitava os ditames behavioristas uniformes sobre tudo, desde horários rígidos para a alimentação até o desfraldamento, mas também desconsiderava os extremos do neoprimitivismo centrado na criança, que rejeitava todos os aspectos de estrutura e rotina.

Por volta dos anos de 1980, porém, a influência moderada do dr. Spock começou a se desgastar por causa dos conservadores sociais, os quais pensavam que os pontos de vista dele eram permissivos demais, e dos liberais, que, por sua vez, afirmavam que seus conselhos sobre criação de filhos eram controladores demais. Com a teoria do trauma do nascimento ressurgiu a polarização dos pontos de vista do dr. Spock e com o declínio de sua popularidade.

Embora os princípios básicos da teoria do trauma do nascimento da década de 1940 não tenham mudado, a versão moderna ganhou um novo nome. Hoje é chamada de *criação com apego*, que, na verdade, tem pouca ligação com as teorias do *apego infantil*. São ideias ligadas apenas pelo nome, não pela ciência. É importante deixar claras as distinções. A teoria do apego infantil corresponde à crença aceita de que o toque físico consiste numa importante necessidade de sobrevivência.

Nós, autores, acreditamos que o toque humano é a primeira linguagem do bebê, a qual comunica amor e segurança por meio do portal dos sentidos. O "toque" é tão importante quanto a nutrição adequada, e a falta dele leva a falhas no desenvolvimento infantil.

Os pais devem saber atender às necessidades reais e à vulnerabilidade de seus bebês; devem, porém, olhar com cautela para qualquer teoria de criação de filhos que crie vulnerabilidades extremas ou falsas. É nesse ponto que a proteção saudável se transforma em superprotecionismo doentio, para prejuízo da criança no longo prazo. Os defensores da criação com apego dos anos de 1980 podem ter usado o nome, mas substituíram a real ciência por trás do verdadeiro apego entre pais e bebês por uma teoria antiga e desacreditada.

Independentemente de como é chamada hoje, a *criação com apego* ou *criação natural* continua a ser a mesma filosofia, extraída das mesmas crenças e pressuposições do trauma do nascimento originalmente formuladas por Otto Rank (1929) e desenvolvidas pela dra. Ribble (1944). Assim como no passado, os protocolos modernos para a criação com apego requerem trabalho intensivo, com forte ênfase na mãe imitando o útero; primeiro ao manter o bebê em sua presença dia e noite, usando o canguru de dia e dormindo com a criança à noite, e segundo, por meio da amamentação constante e contínua, que se torna a substituta do cordão umbilical.[4]

É por isso que os adeptos da criação com apego elevam a amamentação além do valor nutritivo do leite materno. É por isso também que uma mãe nunca pode amamentar muito, por tempo demais ou com frequência exagerada. Mesmo se estiver alimentando o filho pela terceira vez em trinta minutos, a mãe que segue a criação com apego age com base no pressuposto apreensivo de que qualquer choro, se não for sinal de fome, pode ser um indicativo de falha no apego. Tudo se torna um ciclo vicioso. É triste dizer, mas, com frequência, os protocolos recomendados pela teoria da criação com apego, exigidos para produzir uma "criança segura e apegada", acabam criando o oposto: um bebê inseguro, muito carente, emocionalmente estressado e uma mãe exausta.

Criando o bicho-papão

Depois de mais de sessenta anos de especulação por trás da teoria, não foi fornecida nenhuma evidência conclusiva nem apresentado um corpo de pesquisa convincente, para embasar a premissa do trauma do nascimento, que fundamenta a filosofia moderna da criação com apego. Ao mesmo tempo, a ciência que a refuta continua a crescer, em especial à luz de um fato da natureza:

Não existe nenhuma forma viva no planeta, simples ou complexa, humana ou animal, na qual a descendência procure espontaneamente voltar ao passado em busca de um apego antigo.

Infelizmente, enquanto o processo de nascimento foi comercializado como o "bicho-papão" que causa um trauma nos bebês indefesos, o remédio da criação com apego sempre encontrará defensores ferrenhos. Entretanto, será que o útero é mesmo um paraíso para o qual os recém-nascidos desejam voltar? A fim de justificar os posicionamentos extremos da criação com apego nesta era moderna da ciência, seus adeptos continuam a apresentar o processo de nascimento em linguagem horrível e perturbadora para novos pais inocentes. Atribuem ao bebê indefeso os sentimentos de abandono e traição por parte dos pais — sentimentos estes que precisam ser superados para que o apego verdadeiro ganhe espaço.

No mundo científico, isso é conhecido como *apofenia* (tentar estabelecer conexões quando elas não existem). Portanto, o bebê nasceria com consciência plena da transformação traumática que ocorre durante o parto, no qual é retirado à força do aconchego, da proteção e da segurança do útero, totalmente exposto a um novo mundo. Nesse novo mundo, ele deve se esforçar para conseguir alimento, o próprio ar que respira, arfar, tossir e lutar para sobreviver.

Será mesmo? O processo de nascimento realmente faz tudo isso? Que tal uma perspectiva mais precisa, racional e focada na *vida*, a qual reconhece que é somente *por causa* do parto que o bebê é liberto de uma condição de confinamento extraordinário? Um feto dentro do útero é incapaz de se expressar ou de comunicar até mesmo suas necessidades mais básicas. Ele vivia num mundo de escuridão, restrito num saco onde todos os nutrientes que transmitem vida começam a se misturar com seus fluidos corporais. Era um lugar no qual o toque não era permitido, nem havia a oportunidade de ouvir as vozes do amor, do cuidado e da proteção. O bebê é salvo somente pelo milagre e pela beleza do processo de nascimento, que verdadeiramente o libera do cativeiro para a liberdade, para um mundo no qual pode participar da ampla gama de sensações humanas. Pela primeira vez, ele é capaz de sentir o toque da mãe e do pai amorosos, ouvir o som da voz deles, bem como a beleza do canto de um pássaro. Pode experimentar milhares de nuances diferentes de cor, transmitidos por feixes de luz que o útero o impedia de ver no passado. Está livre para rir, se movimentar livremente e descobrir um mundo antes fechado para ele. Tudo isso se torna possível por meio de uma única passagem, levada pelas asas do parto. Caso o nascimento seja mesmo um momento para recordar, é motivo de celebração — não de querer voltar para a restrição e o confinamento.

Por fim, se o trauma está ligado à memória do nascimento, qual função neurológica permite que isso aconteça? Aqui está um fato para analisar:

Os recém-nascidos têm memória zero de seu nascimento, muito menos a capacidade de relembrar a ansiedade que essa experiência tenha causado.

A função da memória e o desenvolvimento das sinapses dependem de o cérebro receber sangue rico em oxigênio, algo que ocorre por meio da respiração. A respiração só acontece depois de os pulmões se encherem e isso sucede depois do parto, não durante. Os centros nervosos superiores ainda estão em desenvolvimento por ocasião do nascimento e continuam a se desenvolver depois. A que conclusão esse fato leva?

* * *

Ao passo que os behavioristas enfatizam a estrutura externa, não o eu interior, os neoprimitivistas enfatizam o eu interior em detrimento da estrutura externa. Acreditamos que as duas abordagens são extremistas e prejudiciais para resultados saudáveis na criação dos filhos. Existe um caminho melhor, e ele se encontra no centro.

A alternativa de *Nana, nenê*: a alimentação orientada pelos pais

Embora algumas mães sejam bem-sucedidas no estilo da criação com apego, esse não é o caso da maioria das mulheres. Uma metodologia mais agradável de colocar em prática e menos fatigante é chamada de *alimentação orientada pelos pais* (AOP). A AOP é uma estratégia de cuidado do bebê que ajuda a mãe a se conectar com o filho e o bebê a se conectar com todos da família.

A AOP é o ponto de equilíbrio entre a hiperorganização dos horários e as teorias da criação com apego. É estruturada o suficiente para levar segurança e ordem ao mundo do bebê, mas, ao mesmo tempo, flexível o bastante para dar à mãe a liberdade de suprir uma necessidade em qualquer momento. É um estilo proativo de criação de filhos, que ajuda a promover crescimento saudável e desenvolvimento ideal. Um sono excelente está ligado a sonecas de qualidade e ao sono noturno estabelecido. Esse padrão avançado de sono é o resultado final da alimentação consistente. Esta deriva do estabelecimento de uma rotina saudável. A AOP é a pedra que cria o efeito dominó e produz todos esses resultados.

Embutido na estratégia da orientação pelos pais se encontra um elemento crítico para todos os aspectos do cuidado com os bebês: a *avalição dos pais*, a confiança adquirida de pensar, determinar e intuitivamente descobrir de que o bebê precisa e como atender a necessidades específicas em momentos específicos. Quais são as vantagens da abordagem orientada pelos pais? A análise comparativa a seguir das três filosofias de alimentação mais comuns responde a essa pergunta e a outras mais!

Análise comparativa das filosofias de alimentação

As três filosofias de alimentação mais proeminentes incluem:

- *Alimentação determinada pela criança* (também conhecida como alimentação por sinais, alimentação por livre demanda, alimentação sem restrições, alimentação responsiva e alimentação autorregulada).
- *Alimentação pelo relógio* (também conhecida como alimentação por horários fixos).
- *Alimentação orientada pelos pais* (AOP).

As teorias na prática

- *Alimentação determinada pela criança*: os horários de alimentação são dirigidos estritamente por uma única *variável* — a presença de sinais de fome do bebê (barulhos de sugar, mãos se dirigindo à boca, o menor resmungo ou choro). O sinal de fome é considerado uma variável porque os horários de alimentação são aleatórios e imprevisíveis. Por exemplo, podem se passar três horas entre as mamadas, depois uma hora, seguida de vinte minutos e depois quatro horas. Pode também haver "agrupamentos de mamadas", como cinco pequenos períodos de alimentação em três horas, seguidos por um longo intervalo sem mamar. De todo modo, o tempo decorrido entre as mamadas não é considerado importante, porque a teoria insiste que os pais se submetam a qualquer sinal que pareça fome, a despeito do tempo decorrido.

- *Alimentação pelo relógio*: os momentos de alimentação são dirigidos estritamente pela *constante* do tempo, medido pelo relógio. É o relógio que determina quando e com qual frequência o bebê é alimentado, em geral com intervalos fixos. Procurar sinais de fome não é considerado importante, já que os momentos de alimentação sempre são previsíveis. O relógio pensa pelos pais (e pelo bebê) e o papel dos pais é ser submissos ao relógio.
- *Alimentação orientada pelos pais*: tanto a *variável* dos sinais de fome quanto a progressão *constante* do tempo dirigirão juntas os pais a cada momento de alimentação. Na AOP, os pais servem de mediadores entre a presença de sinais de fome e a constante do tempo.

O conflito entre a variável e a constante

A maior tensão entre as filosofias de alimentação gira em torno de qual indicador de alimentação usar: a variável dos sinais de fome ou a constante do relógio. A doutrina padrão da criação com apego insiste numa alimentação exclusiva por livre demanda da criança. Nesse caso, o sinal de fome sempre é dominante. Os pais que acreditam na hiperorganização dos horários consideram os segmentos fixos de tempo o determinante final para as mamadas. Portanto, o relógio é dominante. O ponto fraco na lógica dessas duas perspectivas fica claro quando colocadas em forma de equação. A equação da alimentação *determinada pela criança* fica assim:

Sinal de fome + nada = momento de alimentação

O "+ nada" nessa equação quer dizer que nenhum outro fator é considerado para determinar quando o bebê será alimentado, com exceção dos sinais de choro e fome demonstrados pela criança. Embora, de início, essa ideia pareça fazer sentido, há algumas preocupações ligadas a essa abordagem específica de cuidado dos recém-nascidos.

Pontos fracos na prática:

1. A alimentação determinada pela criança se baseia no falso pressuposto de que um sinal de fome sempre é confiável. Na verdade, ele não é. É por isso, em primeiro lugar, que essa abordagem é perigosa. Ser orientado por um sinal de fome só funciona se um desses sinais, como o choro, se manifestar. Bebês fracos, doentes, letárgicos ou sonolentos podem não sinalizar pedindo alimento durante quatro, cinco ou seis horas; portanto, esse tipo de alimentação coloca o bebê em risco de não receber nutrição adequada. Se não houver sinal, a criança não é alimentada.

2. A alimentação baseada apenas na resposta a sinais pode facilmente levar a desidratação do bebê, baixo ganho de peso, falhas no desenvolvimento e frustração tanto para o bebê quanto para a mãe.

3. Se os sinais ocorrerem num intervalo constante inferior a duas horas, o processo leva à fadiga materna. A *fadiga* é reconhecida como a razão número um para as mães desistirem de amamentar.[5]

4. A natureza aleatória da alimentação por *agrupamento* produz consequências indesejadas, que incluem irritabilidade excessiva, padrão irregular de sonecas e instabilidade nos ciclos de dormir/ficar acordado. Tudo isso contribui para o bebê apresentar privação de sono.

A equação da *alimentação pelo relógio* fica assim:

Relógio + nada = momento de alimentação

Nessa equação, "+ nada" significa que nenhum outro fator determina quando o bebê será alimentado, a não ser os horários específicos no relógio.

Pontos fracos na prática:

1. A alimentação baseada em horários fixos ignora os sinais legítimos de fome, presumindo que a mamada anterior foi bem-sucedida. Não leva em conta os picos de crescimento, os quais demandam um dia ou mais de aumento na alimentação. O bebê que mostra sinais de fome depois de duas horas é deixado esperando até a próxima alimentação programada e a hora extra costuma ser acompanhada de choro que poderia ser evitado.

2. Horários rígidos podem não promover estímulo suficiente para a produção de leite materno, levando ao segundo maior motivo para as mães desistirem de amamentar: ter pouco leite.[6]

Tanto na *alimentação determinada pela criança* quanto na *alimentação pelo relógio*, há uma tensão entre a variável e a constante. Essa tensão é, ao mesmo tempo, filosófica e fisiológica. Nos dois casos, ao tentar se adequar à filosofia subjacente de cuidado dos filhos, os pais se tornam escravos de um método. Aceitar qualquer um desses indicadores de alimentação como o único guia para alimentar o bebê é garantia de uma criança estressada e, talvez, sem saúde.

A filosofia de Nana, nenê: *alimentação orientada pelos pais*

A AOP elimina a tensão de depender exclusivamente da variável incerta dos sinais de fome ou na constante insuficiente do relógio. Na AOP, tanto a variável quanto a constante são usadas em parceria, complementando uma a outra, não como antagonistas que devem ser evitadas. Analise a equação da AOP, que inclui a *avaliação dos pais* (AP).

Sinal de fome + Relógio + AP = Momento de Alimentação

Seguindo a abordagem orientada pelos pais, você alimenta seu bebê quando ele está com fome, mas o relógio fornece os limites protetores para que ele não seja alimentado demais, por exemplo, toda hora, ou de menos, como a cada quatro ou cinco horas. A AOP coloca em cena a ferramenta essencial da avaliação dos pais, que é a habilidade de decifrar as necessidades do bebê e responder a elas de forma adequada. A avaliação dos pais libera a mãe para usar a variável dos sinais de fome quando necessário e a constante do tempo quando apropriado. Estes são alguns benefícios da abordagem AOP:

1. A AOP, guiada pela avaliação dos pais, dá ferramentas para reconhecer e analisar dois problemas em potencial na alimentação de bebês:
    a. A criança amamentada com frequência excessiva, por exemplo, de hora em hora, pode não estar recebendo nutrição adequada. Usando a AOP, os pais não só respondem a um sinal alimentando o bebê, como também ficam atentos a um problema em potencial nas mamadas.

b. Quando o sinal de fome não se apresenta, o relógio serve de guia para garantir que não se passe tempo excessivo nem insuficiente entre os momentos de alimentação. Ele funciona também como instrumento de reserva, para proteger bebês fracos e doentes que talvez não consigam chorar forte.

2. Quando um sinal de fome se apresenta, o relógio se submete ao sinal, porque é a fome, não o relógio, que determina a alimentação.

3. Como a avaliação dos pais faz parte da equação, eles aprendem a administrar a variável do sinal de fome e a constante do tempo a fim de assegurar o melhor resultado para o bebê. Mais significativo ainda é o efeito dominó positivo. Com uma estratégia orientada pelos pais, os ciclos da hora de comer, de ficar acordado e de dormir se estabilizam muito rapidamente, tornando-se rotineiros e previsíveis. O resultado final é um crescimento sadio, períodos acordados ativos com ótimo nível de alerta e sono noturno contínuo. É uma excelente receita para o bebê e o restante da família.

Qual é sua escolha?

Qual filosofia de alimentação faz mais sentido: a determinada pelo bebê, a que se guia pelo relógio ou a que capacita a mãe e o pai a avaliar e atender as necessidades de seu bebê? Quando um casal entende a origem de cada filosofia e mede o sucesso delas, está preparado para tomar uma decisão consciente sobre o que é melhor para sua família.

3

Os bebês e o sono

VOCÊ ESTÁ NUMA CAFETERIA, apreciando um café expresso com leite, navegando pela internet no seu celular, enquanto seu bebê brinca satisfeito com um mordedor laranja fluorescente, olhando ocasionalmente para cima, de dentro do carrinho. De repente, você ouve um estranho comentar: "Uau, que bebê feliz você tem, tão contente e alerta!". Você sorri, num gesto de apreciação, mas não está surpresa com as palavras gentis; cenas como essa não são incomuns para os pais que colocam em prática a AOP. O que um comentário como esse tem que ver com o sono? Tudo!

Quando seu bebê começar a dormir a noite inteira, as pessoas invariavelmente dirão: "Vocês são tão sortudos!" ou "Você tem um bebê bonzinho". Nenhuma dessas declarações é verdadeira. Seu bebê estará dormindo a noite toda porque você trabalhou duro para ajudá-lo a conquistar o presente do sono noturno. Você merece o crédito por seus esforços, mas mantenha este fato em mente: educar seu bebê para dormir a noite inteira não é o objetivo final do processo de criação de filhos; sem dúvida, porém, fornece uma boa base para tudo aquilo que se segue.

O sono, ou a falta desse bem precioso, é uma das influências mais significativas para uma vida saudável. O sono tem importância crítica ao longo do primeiro ano de vida, porque o hormônio do crescimento humano é liberado durante o sono profundo. Igualmente importantes são a qualidade e a quantidade do sono do bebê, pois elas afetam não apenas a criança — também causam impacto sobre o bem-estar de todos na casa, fazendo a diferença entre pais alegres e alertas e pais fatigados.

Os bebês do método *Nana, nenê* são caracterizados por contentamento, crescimento saudável e excelente nível de alerta. São bebês que verdadeiramente exalam felicidade, a qual, no fim das contas, está ligada a se sentir bem descansado. Na verdade, bebês saudáveis, nascidos a termo têm a capacidade de dormir de sete a oito horas seguidas durante a noite entre a sétima e a décima semana de vida, e de ter entre dez e doze horas de sono noturno às 12 semanas. Mas essas realizações exigem orientação dos pais e a compreensão básica de como a rotina do bebê impacta os resultados saudáveis.

Isto é possível mesmo?

O motivo de alguns bebês, desde cedo, serem capazes de dormir a noite inteira, enquanto outros não, tem sido tópico de debate e estudo há muito tempo. As teorias variam do simples até o complexo e do lógico até o absurdo. Amigos bem-intencionados podem ter contado à mãe de primeira viagem que cada criança é diferente. Eles prosseguem dizendo que alguns bebês já nascem dorminhocos, enquanto outros não. As novas mães ficam na esperança de ter sorte e gerar um dorminhoco.

Clínicos comportamentalistas sugerem que o temperamento da criança é a influência determinante sobre o sono. Dizem aos pais que algumas crianças têm um temperamento mais brando e são mais propensas a dormir, ao passo que outras lutam contra o sono. Há sugestões mais extremas de que alguns bebês, classificados como *muito carentes*, acordam com mais frequência durante a noite e os bebês *pouco carentes* dormem mais por conta própria. Embora cada uma dessas declarações contenha uma pitada de verdade, todas estão, por si mesmas, desatualizadas. Não se preocupe, você pode e deve esperar que seu bebê adquira a habilidade de dormir a noite toda, mas isso raramente acontece sem treinamento por parte dos pais. Analise as quatro principais "verdades sobre o sono".

Verdade número 1

Bebês não têm a habilidade de organizar seus dias e noites em ritmos previsíveis, mas possuem a necessidade biológica de uma organização assim. É por isso que os pais devem tomar a iniciativa e criar estrutura e rotina para seus bebês e para si mesmos.

A rotina de alimentação do bebê beneficia a mãe também. Ela fica mais saudável, mais descansada e menos estressada. Tem tempo e energia para outros relacionamentos importantes: o marido, os pais, familiares e amigos. Quando há outras crianças na casa, a rotina do bebê proporciona tempo para atividades planejadas com os irmãos mais velhos. À medida que a vida com o bebê se torna mais previsível, a mãe tem condições de planejar de forma confiante as atividades do dia, sabendo que estará atendendo às necessidades do filho. Todos saem ganhando com a AOP.

A fim de aumentar a probabilidade do sono noturno contínuo, a rotina de "comer — ficar acordado — dormir", orientada pelos pais, é essencial. A chave para o sono noturno se encontra na ordem dessas três atividades diurnas. Primeiro vem a hora de comer, seguida da hora de ficar acordado e, em seguida, a hora de dormir. A sequência dessas três atividades se repete ao longo do dia. Quanto mais constante a rotina, mais rapidamente o bebê aprende a adaptar e organizar seu ciclo de comer — ficar acordado — dormir. O ritmo estabelecido leva ao sono noturno contínuo.

Verdade número 2

A *qualidade* de cada atividade é tão importante quanto sua *ordem*. Reenfatizando o princípio do efeito dominó, a pedra que cria o movimento inicial é a qualidade de cada momento de alimentação. Isso significa que a mãe deve se esforçar para transformar cada mamada numa *refeição completa*. Os bebês (em especial os recém-nascidos) tendem a cochilar enquanto mamam, fazendo, assim, apenas uma refeição parcial. Quando isso acontece, principalmente com bebês amamentados, a criança não ingere o suficiente para satisfazer suas necessidades nutricionais.

Quando a mãe trabalha com seu bebê de maneira constante para garantir uma refeição completa, gera momentos acordados produtivos. Um bom momento acordado causa impacto na hora da soneca e o bebê que dormiu bem se alimenta melhor. À medida que aumenta a qualidade de cada atividade, o sono noturno saudável é facilitado. Por sua vez, o sono excelente num ciclo de 24 horas causa impacto no nível de alerta, o qual melhora a função cognitiva, aumentando o crescimento do cérebro e incentivando uma série de outros benefícios neurológicos. Onde tudo isso começa? Com a primeira pedra, quando o bebê recebe alimentação de alta qualidade.

Verdade número 3

A partir do nascimento, os padrões de fome do bebê se organizarão em períodos estáveis e regulares ou se tornarão aleatórios e imprevisíveis. Quando os recém-nascidos são alimentados usando o plano da AOP, seus padrões de fome se estabilizam. Há dois motivos para isso. Primeiro, os bebês têm a habilidade inata de organizar suas horas de comer num ritmo previsível e o farão se incentivados pela filosofia de alimentação da mãe. Segundo, o mecanismo da fome (digestão e absorção) reage à rotina de alimentação com uma memória metabólica. A rotina de alimentação estimula o metabolismo de fome do bebê a se organizar em ciclos previsíveis. A alimentação aleatória ou os "agrupamentos de mamadas" desencorajam isso.

Por exemplo, se a mãe alimenta o bebê aproximadamente a cada três horas, digamos, às 7, 10, 13, 16, 19 e 22 horas, o ciclo de fome da criança começa a se sincronizar com esses horários. Quando se estabiliza, os ciclos de sono diurno se organizam e, em seguida, o sono noturno. O horário exato não é tão importante quanto a previsibilidade que o representa. Não existe nada de mágico nele. Os pais podem começar às 6 horas se for melhor. O princípio em questão é a *consistência*, que leva à *previsibilidade*.

Em contraste, intervalos aleatórios de alimentação trabalham contra a habilidade do bebê de organizar bons ritmos de alimentação, criando confusão dentro de sua memória metabólica. Por exemplo, a mãe que segue a filosofia da *alimentação determinada pelo choro* pode alimentar o bebê às 8 horas e, quando ele chorar às 8h30, o alimenta novamente. Uma hora se passa e ele mama, seguida de três horas até a próxima mamada e então vinte minutos. No dia seguinte, tudo é diferente, inclusive a duração de cada ciclo de alimentação e o intervalo entre eles. Quando não há consistência no tempo entre as mamadas, e se esse padrão persiste por semanas, é muito difícil estabilizar o ciclo "comer – ficar acordado – dormir". Em consequência, esse bebê terá dificuldade em ter um sono noturno estável e sem interrupções, acordando até mesmo a cada duas horas, de forma recorrente. Esse padrão pode continuar por dois anos ou mais, de acordo com alguns estudos.[1] Não surpreende que bebês alimentados por mamadeira, sem uma rotina, tenham os mesmos resultados. Preste atenção à próxima verdade.

Verdade número 4

Importa menos o tipo de alimento do que as ocasiões em que ele é recebido. A dificuldade em criar bons padrões de sono noturno não está ligada à fonte de alimentação, ou seja, se é leite materno ou artificial. Nossa pesquisa sobre o sono de 520 bebês demonstrou que os que tomam o leite materno, seguindo a AOP, dormem durante a noite numa média de horário parecida a dos outros e, em muitos casos, até um pouco antes dos bebês que ingerem outro tipo de leite. Essa conclusão estatística significa que não é correto atribuir o sono noturno a uma barriguinha cheia de leite artificial. A estatística também demonstra que nem a composição do leite materno ou artificial, nem a velocidade de digestão dos dois, exerce qualquer influência sobre a capacidade da criança em estabelecer um padrão de sono noturno saudável.

Qual é a grande vantagem do sono?

Quando uma criança de 1 ou 2 anos de idade acorda continuamente durante a noite, esse comportamento reflete duas possibilidades: conselhos infundados sobre a criação dos filhos ou prioridades de sono equivocadas. Infelizmente, essas crianças são forçadas a viver com uma porção insuficiente de sono. Não é saudável para elas nem para os pais! Tente imaginar como seria acordar duas ou mais vezes todas as noites a semana inteira. O impacto destrutivo da privação de sono no sistema nervoso central de um adulto é bem documentado. Os déficits incluem diminuição das habilidades motoras, capacidade reduzida de pensar, irritabilidade, perda da capacidade de concentração, instabilidade emocional, colapso de tecidos e células. Essa é apenas uma lista parcial!

Agora imagine uma criança pequena que não dorme oito horas seguidas em nenhuma das 365 noites do ano! Não seria possível que muitos dos problemas de aprendizagem infantil estejam ligados a algo tão básico quanto a privação crônica de sono? A parte superior do cérebro continua a se desenvolver durante o primeiro ano de vida; portanto, a ausência de sono contínuo à noite é, com certeza, prejudicial ao processo de aprendizado.

Normas estatísticas para bebês no regime da AOP

O corpo da criança se desenvolve mais rapidamente durante o primeiro ano de vida do que em qualquer outro momento. Ao passo que precisam de nutrição adequada para facilitar o crescimento sadio, os bebês também necessitam de períodos estendidos de sono restaurador. Por que isso é importante? Porque é nesses momentos que eles crescem!

O tipo de sono que um bebê alcança determina o verdadeiro valor de seu sono. Metade do tempo de sono do bebê é gasto no sono tranquilo (padrão de sono tranquilo, ou PST), e a outra metade em sono ativo (padrão de sono ativo, ou PSA). Os pesquisadores afirmam que esses dois padrões se alternam a cada 30 ou 45 minutos durante o sono. Existem diferenças notáveis entre os dois. Durante o estado de sono tranquilo, os pais veem um bebê calmo. Seu rosto fica relaxado, as pálpebras fechadas e paradas. Ele faz poucos movimentos corporais e a respiração é silenciosa e regular. É também durante esse sono tranquilo ou profundo que de 70% a 80% do hormônio de crescimento do bebê é secretado. Isso quer dizer que hábitos saudáveis de sono e crescimento sadio estão ligados.

O sono ativo é mais inquieto. É nesse momento que costumam ocorrer os sonhos, tanto para as crianças quanto para os adultos. Não se compreende plenamente o quanto os bebês sonham, mas, durante esse período, os pais perceberão os braços e as pernas do bebê se movimentarem, os olhos piscam e os músculos faciais se mexem, com movimentos de sugar, franzir e mastigar. A respiração é irregular e ligeiramente mais rápida.

Não fazemos promessas, mas...

Embora não possamos oferecer nenhuma garantia, podemos apresentar as estatísticas a seguir que representam as normas da

AOP. As conclusões se basearam numa amostra de 520 bebês (266 meninos e 254 meninas), dos quais 380 foram amamentados exclusivamente, 59 tomaram apenas leite artificial e 81 receberam uma combinação de leite materno e artificial. Havia 468 bebês sem nenhum problema de saúde e 52 com situações clínicas detectadas no parto ou pouco depois. Entre o perfil de situações clínicas detectadas, havia 15 prematuros. Todos os pais seguiram a estratégia da AOP.

Para os bebês que mamam no peito, a rotina de alimentação foi definida a cada duas horas e meia ou três horas durante as primeiras oito semanas. Para os bebês que tomam mamadeira, a rotina de alimentação foi a cada três ou quatro horas. O sono noturno foi definido como dormir sem parar por sete a oito horas durante a noite. Os voluntários eram provenientes dos Estados Unidos, do Canadá e da Nova Zelândia. O estudo revelou o seguinte:

Categoria 1: bebês que mamaram exclusivamente no peito

Das meninas amamentadas, 86,9% dormiam a noite inteira entre 7 e 9 semanas de vida e 97% já conseguiam dormir a noite toda às 12 semanas. Dos meninos amamentados, 76,8% dormiam a noite inteira entre 7 e 9 semanas de vida e 96% já conseguiam dormir a noite toda às 12 semanas.

Categoria 2: bebês alimentados exclusivamente por leite artificial

Das meninas alimentadas por leite artificial, 82,1% dormiam a noite inteira entre 7 e 9 semanas de vida e 96,4% já conseguiam dormir a noite toda às 12 semanas. Dos meninos amamentados, 78,3% dormiam a noite inteira entre 7 e 9 semanas de vida e 95,7% já conseguiam dormir a noite toda às 12 semanas.

Categoria 3: bebês com problemas de saúde

Dos 52 bebês com condições clínicas (por exemplo, refluxo, cólica, parto prematuro, infecções virais, hospitalizações sem motivo identificado), todos dormiam de oito a nove horas por noite entre 13 e 16 semanas de vida.

Como demonstram os percentuais estatísticos, os pais podem orientar o ciclo sono — ficar acordado logo nos primeiros dias, e com alto grau de previsibilidade. Além disso, 80% dos bebês em nossa pesquisa começavam a dormir durante a noite por conta própria, sem outra orientação da parte dos pais além da rotina na alimentação. Simplesmente acontecia. Os outros 20% dos bebês tinham alguns períodos de choro durante a noite. A maior parte desse comportamento ocorria por um período de três dias e o choro durava de 5 a 35 minutos no meio da noite. Em média, foram necessários de três a cinco dias para um bebê de 9 semanas romper com o antigo padrão de acordar durante a noite e adquirir a habilidade de dormir a noite inteira.

Padrões saudáveis de sono

"Dormiu bem essa noite?" é uma pergunta que os cônjuges costumam fazer um para o outro. Entretanto, nunca perguntamos: "Teve um bom período acordado hoje?". Você sabia que há diferentes níveis de "despertamento"? Enquanto o sono varia de tranquilo a agitado, o período acordado se estende de cansaço a ótimo nível de alerta. O mais importante é que um sono de ótima qualidade está ligado ao ótimo nível de alerta, que causa impacto direto sobre um ótimo processo de aprendizagem. Qual é o papel do sono saudável no processo de desenvolvimento? Está documentado o fato de que bebês que dormem bem à noite se tornam crianças mais espertas.

No livro *Healthy Sleep Habits, Happy Child [Hábitos saudáveis de sono, criança feliz]*, o dr. Marc Weissbluth, diretor do centro de distúrbios do sono do Children's Memorial Hospital em Chicago, recomenda a obra do dr. Lewis M. Terman. O dr. Terman é mais conhecido pelo Teste Stanford-Binet de Inteligência.[2] Segundo Weissbluth, as descobertas de Terman (publicadas em 1925) sobre os fatores que influenciam o QI permanecem incontestáveis até os dias de hoje. Seu estudo pesquisou três mil crianças. Em todas as faixas etárias, as crianças com inteligência superior tinham um elemento em comum: todas elas experimentavam um sono noturno saudável e consistente desde a primeira infância até o dia em que foram testadas.

Em 1983, os estudos do dr. Terman foram repetidos de maneira objetiva por pesquisadores canadenses, que chegaram às mesmas conclusões. As crianças com um padrão de sono saudável tinham um QI claramente superior às que não dormiam bem.

O dr. Weissbluth fala não só dos aspectos positivos de um sono saudável, mas também dos aspectos negativos do sono intermitente. Ele adverte aos pais:

> Os problemas de sono não perturbam somente as noites da criança, mas também os dias, pois a deixam menos alerta mentalmente, mais desatenta, incapaz de se concentrar ou distraída com facilidade, além de torná-la mais fisicamente impulsiva, hiperativa ou então preguiçosa.[3]

Bebês e crianças pequenas que sofrem com a falta de sonecas saudáveis e do sono noturno contínuo podem sentir fadiga crônica. A fadiga em bebês e crianças pequenas é a causa principal de manha, irritabilidade diurna, mau humor, descontentamento, sintomas parecidos com cólica, hipertensão, baixa capacidade de concentração e maus hábitos alimentares. Em contrapartida, as crianças que consolidam hábitos saudáveis de sono ficam bem despertas e alertas para interagir com o ambiente. São seguras e felizes, menos exigentes e mais sociáveis. Conseguem permanecer concentradas por mais tempo e, por isso, aprendem mais rapidamente.

Mecanismos de indução ao sono

O bebê típico adquire a capacidade natural de dormir a noite inteira em algum momento até o fim do segundo mês de vida. Trata-se de uma habilidade adquirida, que é aperfeiçoada pela rotina. Por outro lado, a privação de sono em bebês e crianças pequenas reflete a ausência da conquista dessa habilidade. Há uma série de razões possíveis para isso, mas, no topo da lista, encontram-se uma variedade de mecanismos de indução ao sono — práticas e objetos usados para ajudar o bebê a cair no sono ou voltar a dormir caso acorde antes da hora.

Já que o sono é uma função natural do corpo, o primeiro *sinal de sono* é a sonolência. Os mecanismos de indução interferem no processo, tornando-se o sinal de sono substituto, em vez da sonolência. Nesse caso, cair no sono foge ao controle do bebê, pois exige a presença dos pais para oferecer um mecanismo de indução.

Alguns deles, como um cobertor especial ou um bicho de pelúcia são inofensivos, ao passo que outros podem se tornar viciantes. Confira a seguir alguns mecanismos de indução ao sono a se evitar:

Ninar intencionalmente o bebê até ele dormir

A cena é bem familiar. A mãe nina o bebê até fazê-lo dormir. Levantando-se vagarosamente da cadeira, ela se move em direção ao berço. Enquanto segura o fôlego, abaixa gentilmente seu pacotinho precioso e se permite sorrir. Então, congelada no tempo, espera ansiosa que a paz se instaure dentro do berço antes de sair pela porta. Ela se pergunta o que sentirá desta vez: liberdade ou fracasso? Na esperança de escapar, a mãe sabe que, se o bebê reclamar, ela será obrigada a começar tudo de novo. "Pobre mãe" ou "pobre bebê"? Ninar é um mecanismo apropriado de indução ao sono toda vez que é necessário dormir? Não!

Com o plano da AOP, os bebês criam um padrão de sono saudável. Quando o bebê é colocado no berço, ele costuma estar acordado. Não é preciso andar na ponta dos pés, segurar o fôlego, nem fazer silêncio absoluto. Talvez ele chore por alguns minutos ou fique conversando consigo mesmo, mas cairá no sono sem a intervenção da mãe ou do pai.

Mecanismos de movimento e vibração

Mecanismos modernos de indução ao sono se baseiam em estímulos específicos para fazer o bebê dormir, esteja ele dando os primeiros sinais de cansaço ou tenha acordado antes da hora. O mecanismo de movimento mais usado para induzir o sono é a cadeira de balanço. A questão não é se você deve embalar seu bebê ou dar carinho para ele. Esperamos que isso aconteça com frequência! Mas você está usando o balanço ou séries de movimento como indutores do sono?

Outros mecanismos semelhantes incluem o colchão vibratório de berço e a cadeirinha de descanso para bebês. Alguns pais já tentaram a prática insegura de colocar o bebê em cima da lavadora de roupas em funcionamento. E claro, quando todo o resto falha, existe também o passeio de carro com o bebê. O som do motor e a vibração do chassi às vezes levam o bebê para a terra dos sonhos. Esses mecanismos de indução funcionam até certo ponto, mas só até a lavadora terminar o ciclo, a gasolina do carro acabar ou a paciência da mãe e do pai se esgotar!

No curto e longo prazo, colocar o bebê no berço quando está sonolento, mas ainda acordado, facilita ciclos de sono mais longos e mais fortes do que se ele for colocado no berço já dormindo.

Dormir com o bebê

Qualquer um dos mecanismos de indução ao sono mencionados pode não ser a melhor forma de ajudar a criança a pegar no sono e permanecer dormindo, mas nenhum deles coloca o bebê em risco. Há, porém, uma estratégia que já demonstrou ser muito perigosa: *dormir com o bebê na cama.* Chegando ao ponto de se tornar um modismo, dormir com o bebê está em ascensão. Talvez você esteja pensando em adotar a prática em sua família. Alguns teóricos dizem que compartilhar a cama com o bebê é a melhor experiência de criação de vínculos, formação do apego e amamentação noturna. E também é mortal! Que fatos sabemos sobre compartilhar a cama com o bebê?

Desde 1997, a Academia Norte-Americana de Pediatria [American Academy of Pediatrics — AAP], o Instituto Nacional de Saúde Infantil e Desenvolvimento Humano e a Comissão de Proteção ao Consumidor dos Estados Unidos têm disseminado alertas médicos advertindo os pais do risco de morte associado a dormir com o bebê. Um estudo de sete anos ligou a morte de mais de quinhentos bebês ao fato de estarem deitados ao lado dos pais, que os cobriram de forma parcial ou total. Não se deixe enganar pelo número; trata-se de uma pequena fração dos casos reais que ocorrem todos os anos nos Estados Unidos.

A declaração de políticas públicas da Academia Norte-Americana de Pediatria diz:

> Não há estudos científicos demonstrando que a cama compartilhada reduz a SMSL [síndrome da morte súbita do lactente]. Ao contrário, há pesquisas sugerindo que a cama compartilhada, em determinadas condições, pode, na verdade, aumentar o risco de SMSL.[4]

Além disso, em 2005, a força-tarefa da AAP sobre a doença rotulou o sono com bebês como um tópico "extremamente controverso" e chamou a prática da cama compartilhada de "arriscada".[5]

É por isso que dormir com o bebê pode ser a decisão mais perigosa a se tomar em nossos dias. Os casos de morte de bebês ligados a práticas arriscadas de sono atingiram proporção "epidêmica"; no entanto, cada caso era evitável. A morte de bebês por SMSL é trágica, mas a morte por sobreposição dos pais em decorrência de seguir uma filosofia perigosa de cuidado dos filhos é, ao mesmo tempo, trágica e desnecessária. Um esquema de sono seguro e sensato começa com o bebê longe da cama da mãe e do pai.

Onde meu bebê deve dormir?

Onde o berço ou moisés devem ficar? Essa pergunta deve ser respondida antes da chegada do bebê. Ficará no quarto dos pais ou no do bebê? Há vantagens e desvantagens em ambos os locais. A vantagem de colocar o bebê para dormir no quarto dos pais durante as primeiras duas ou três semanas se limita à conveniência da mamada noturna. Seu recém-nascido precisará ser alimentado pelo menos a cada três horas, portanto, a proximidade do berço é útil. O lado negativo são todos os sons desconhecidos e barulhos de movimento que os bebês tendem a fazer. Isso deixará os novos pais acordados, se perguntando se está tudo bem com o filho. O segundo ponto negativo está ligado à capacidade do bebê de dormir a noite inteira. Compartilhar o quarto depois de 4 semanas pode adiar a habilidade do bebê de dormir a noite toda até os 4 meses.

Caso seu bebê seja colocado no próprio quarto e você sentir insegurança a esse respeito, pense na possibilidade de adquirir uma babá eletrônica, que alertará quanto a qualquer necessidade imediata que o bebê tenha.

Resumo

A melhor maneira de ajudar seu pequenino a pegar no sono e continuar dormindo, e a mais segura também, é o modo natural. Você não precisa de acessórios caros, de um carro novo ou de teorias arriscadas de criação dos filhos. Em vez de depender de um mecanismo de indução, estabeleça de forma confiante a rotina básica que promoverá um sono restaurador. Alimente seu bebê, embale-o e demonstre amor por ele, mas o coloque no berço antes que ele caia no sono.

4

Verdades sobre a alimentação

ABRAÇOS, BEIJOS E ALIMENTAÇÃO adequada: essa é uma boa forma de começar a vida de bebê! Abraços e beijos são a parte fácil, mas o que constitui uma alimentação adequada e de onde ela se origina? Quer as calorias venham do peito, quer da mamadeira (leite materno ou artificial), a afeição terna proporcionada durante os momentos de alimentação é de importância fundamental. No entanto, existem diferenças entre as duas fontes de alimento, e compreendê-las ajuda a dar a confiança necessária para os pais tomarem uma decisão consciente quanto àquilo que é melhor para seu bebê e sua família. O que os futuros pais necessitam saber?

Em primeiro lugar, é possível que a alimentação do bebê seja a tarefa mais básica do cuidado infantil. O reflexo de sucção e busca por alimento estão bem desenvolvidos ao nascer, e o bebê satisfaz esses reflexos buscando e sugando tudo que estiver perto de sua boca. Quando é feita uma comparação ampla entre o leite materno e o artificial, não surpreende que o leite da mãe seja o alimento perfeito para os bebês, proporcionando vários benefícios para a saúde. De acordo com a AAP, pesquisas sugerem que o leite materno diminui a incidência ou a gravidade de diarreia, infecções do trato respiratório inferior, meningite bacteriana e infecção do trato urinário.[1] A academia também cita vários estudos demonstrando que o leite materno pode ajudar a proteger contra a síndrome da morte súbita do lactente, doenças alérgicas, doença de Crohn, colite ulcerosa e outras doenças digestórias crônicas.[2] O leite materno é digerido com facilidade, provê nutrição excelente, contém o equilíbrio certo entre proteínas e lipídeos, além de fornecer anticorpos adicionais para o desenvolvimento do sistema imunológico do bebê.

Ao contrário do leite artificial, não precisa ser preparado, estocado, aquecido e embalado para viagem. Enquanto permanecer dentro do corpo da mãe, nunca estraga e não tem data de validade. Há também benefícios para a saúde da mãe. A amamentação agiliza o retorno do útero a seu tamanho e formato normais e, com frequência, ajuda na perda de peso pós-parto. Que nova mãe não sente vontade de voltar a entrar nas roupas de antes da gravidez? Além disso, pesquisas recentes sugerem que a amamentação também pode beneficiar a mãe ao reduzir o risco de câncer de mama, de diabetes tipo 2 e de osteoporose no futuro.

Tendências na amamentação

Apesar dos vários benefícios do leite materno, dados recentes do Centro de Controle de Doenças dos EUA (2º semestre de 2010) dizem que "embora 40% das mães comecem dando apenas o peito, somente 17% continuam depois de seis meses e os números após os doze meses permanecem baixos e estagnados".[3] Por que tantas mães se voltam contra a nutrição, a conveniência e a proximidade física do leite materno? Talvez a escolha de parar de dar o peito se torne uma necessidade para a mãe fatigada e distraída, que não consegue atender as demandas infinitas criadas pela falta de uma rotina de alimentação e de previsibilidade no lar.

As mães que seguem o método da AOP têm uma história diferente para contar. Duzentas e quarenta mães que seguiram os princípios da AOP participaram de uma amostragem retrospectiva. A pesquisa revelou que 88% dessas mães amamentaram, e 80% delas deram exclusivamente o peito (sem complementar com leite artificial). Embora a média nacional de mães que amamentam caia para 17% aos 6 meses de vida do bebê, 70% das mães adeptas da AOP continuaram a alimentar os filhos exclusivamente com o peito após os 6 meses. Acrescente a essas estatísticas os benefícios do sono noturno sem interrupções e você compreenderá as vantagens da AOP.

Sinais de fome

A resposta rápida ao sinal de fome de um recém-nascido é central, tanto para a alimentação determinada pelo choro quanto pela alimentação orientada pelos pais, mas existe uma diferença fundamental. A abordagem da AOP incentiva mamadas completas a cada duas horas e meia ou três horas, em vez de um agrupamento de pequenas mamadas. O esforço para conseguir uma mamada completa é a chave para o sucesso da AOP.

"Apenas ouça os sinais que seu bebê envia" é um bom conselho, se você sabe o que ouvir e pelo que deve procurar. Quando um bebê se aproxima do fim de um ciclo de sono, ele costuma fazer pequenos sons de sucção e pode até mesmo levar a mão à boca e começar a sugar. Então talvez os pais ouçam um pequeno resmungo, que pode crescer até um choro volumoso. Todos esses são sinais de que chegou a hora de comer, mas é preciso esperar até o bebê chorar de verdade antes de alimentá-lo, em especial se os outros sinais estiverem presentes. O sinal de fome sempre deve superar a hora marcada no relógio.

É preciso ficar alerta a alguns sinais de fome indesejados. Por exemplo, um bebê mamar de hora em hora pode ser um sinal de que não está recebendo o segundo leite, rico em calorias, ou que não está conseguindo dormir o sono de qualidade necessário, fator igualmente preocupante. Lembre-se, o sono saudável facilita a amamentação saudável, que, por sua vez, promove o crescimento sadio. Bebês fatigados não se alimentam bem e, por isso, demonstram vontade de mamar com mais frequência. A fadiga crônica da mãe é outro sinal indesejado. Quando, pela manhã, ela sempre acorda exausta das várias sessões de amamentação no meio da noite, seu corpo está lhe dizendo que aquilo que ela tem feito não funciona e precisa ser mudado.

Produção de leite e mamadas completas

Se você optou por amamentar, há alguns princípios básicos de fisiologia importantes a serem entendidos. Primeiro, o sucesso na amamentação se baseia na procura e na oferta (não confunda com o conceito econômico expresso na lei da oferta e da procura). Isso quer dizer que a oferta do leite produzido é proporcional à procura colocada sobre o sistema. A procura adequada leva a uma oferta adequada. Como, porém, definir "adequada" e "procura"? A explicação de que a produção de leite está diretamente relacionada ao número de mamadas só é verdadeira em parte. Com certeza, a mãe que coloca o bebê no peito oito vezes por dia produzirá mais leite do que aquela que só oferece duas mamadas diárias, mas há limites. A mãe que oferece o peito ao bebê doze, quinze ou vinte vezes ao dia não produz, necessariamente, mais leite do que aquela que amamenta de oito a dez vezes diárias. A comparação, nesse caso, não é entre o número de mamadas por dia, mas entre a qualidade de cada período de amamentação. Os bebês que possuem uma rotina podem mamar menos vezes, mas recebem mais calorias a cada mamada do que os bebês que mamam por livre demanda, sem rotina observável.[4] A diferença é entre alimentação qualitativa (como no caso do bebê que segue uma rotina) e alimentação quantitativa (mais mamadas com menos qualidade).

A AOP se planeja para a existência de uma oferta suficiente. Isso também facilita a mamada completa. Quer você dê o peito, quer a mamadeira, uma mamada completa a cada momento de alimentação é um objetivo a alcançar. Não entre em pânico se isso não acontecer a cada mamada, é para isso que você está trabalhando.

Quais são as características-chave associadas a uma mamada completa? As mais óbvias incluem:

- O tempo mínimo é de dez a quinze minutos em cada seio; ou de vinte a trinta minutos para bebês alimentados com leite artificial.
- É preciso ouvir o leite ser engolido.
- O bebê se afasta do seio ou da mamadeira quando saciado.
- O bebê arrota logo depois de se alimentar.
- O bebê tira uma boa soneca.

Em contrapartida, os bebês que "lancham" por alguns minutos aqui e ali não aproveitam os benefícios de uma mamada completa. A *alimentação em lanchinhos* ou *agrupamentos de mamadas em forma de lanches* trabalha contra a habilidade do bebê de se organizar e sincronizar os ciclos de fome. Existe também um risco em potencial. Quanto mais o bebê lancha, menos nutrição recebe; quanto menos nutrido ele está, maiores os riscos para a saúde.

O segredo para a produção eficiente de leite que leva a mamadas completas é a combinação entre o estímulo adequado do seio com o intervalo apropriado entre as mamadas. O estímulo do peito se refere à intensidade da sucção do bebê, que é provocada por sua fome. A força desse impulso está diretamente ligada ao tempo necessário para a digestão e absorção do leite. Em geral, os bebês alimentados num intervalo de duas horas e meia a três horas têm um metabolismo digestório estável e procuram mais leite do que os bebês que fazem lanchinhos periódicos ao longo do dia.

Cuidando da mãe

Nada é mais essencial para o sucesso da amamentação do que o cuidado com as necessidades nutricionais da mãe, a começar pela hidratação apropriada. É importante ingerir uma dieta balanceada, com muitas frutas, verduras, grãos, proteína e alimentos ricos em cálcio. Todavia, também é necessário que a mãe tome líquidos o suficiente. Ela não deve esperar ter sede para tomar água, pois a sede é um indicador tardio de que o corpo necessita de líquido. As mães que amamentam devem beber de 180 a 240 ml de água durante ou por volta de cada mamada. A ingestão de líquidos também pode ser em forma de sucos, caldos ou chás sem cafeína (as bebidas com quantidade significativa de cafeína ficam de fora porque esta faz o corpo excretar o total de líquido ingerido). Ironicamente, água demais durante o período de 24 horas (mais de três litros por dia) diminui a produção de leite.

Os sinais de advertência de que a mãe não está bebendo água o suficiente incluem sede, urina concentrada (amarelo-escura) e constipação. Para o bem de seu bebê e para sua saúde, hidrate-se!

O reflexo de descida do leite

Quando o bebê começa a sugar, a glândula pituitária da mãe recebe a mensagem para liberar dois hormônios: a *prolactina* e a *ocitocina*. A prolactina é necessária para a produção do leite e a ocitocina, para sua liberação. Quando o bebê começa a mamar, ele recebe primeiro o leite armazenado nos ductos debaixo das auréolas, os pontos coloridos sob o mamilo. Esse *primeiro leite*, como costuma ser chamado, é diluído e tem valor nutricional limitado. À medida que o bebê continua a sugar, a ocitocina faz as células ao redor das glândulas mamárias se contraírem, impulsionando leite para dentro dos ductos. A sensação da liberação do leite é descrita como "descida". O leite que "desce" é o *segundo leite*. Ele é rico em proteínas, gorduras e calorias (de trinta a quarenta a cada 30 ml), exatamente aquilo de que o bebê precisa para crescer.

O leite materno e a digestão do bebê

Uma mãe de primeira viagem pode se deparar com postagens em *blogs* na *internet* dizendo o seguinte: "O leite materno é mais fácil de digerir do que o artificial, por isso os bebês amamentados têm fome mais rápido e precisam mamar com mais frequência"; ou: "Como o estômago do bebê esvazia mais rapidamente com o leite materno, os bebês que mamam no peito não conseguem dormir a noite toda". A primeira declaração contém uma verdade relevante; a segunda não.

O estômago vazio aciona o impulso da fome? Não. É a digestão e a absorção eficientes e eficazes do alimento que o faz. A absorção ocorre principalmente no intestino delgado. É o processo que faz as moléculas digeridas dos alimentos passarem pela membrana intestinal, chegando à corrente sanguínea. Quando a absorção acontece, o nível de açúcar no sangue cai, enviando um sinal para o hipotálamo de que o bebê (ou qualquer pessoa) necessita de alimento. É a queda do nível de açúcar no sangue — não a barriga vazia — que sinaliza o momento de comer. Portanto, a comparação do leite materno com o artificial é de pouco valor a esse respeito. Já a comparação entre uma mamada eficaz e completa e o bebê que faz vários lanchinhos é importante.

Embora o leite materno realmente seja digerido mais rapidamente do que a fórmula infantil, isso não quer dizer que os bebês que mamam no peito precisam se alimentar com mais frequência, mas, sim, que eles necessitam de momentos eficazes de alimentação. Mamadas que garantem uma refeição completa fornecem a nutrição e o sustento de que os bebês amamentados precisam.

As mães que seguem o programa da AOP contribuem para que isso aconteça. Quando a mãe segue o modelo de amamentação por livre demanda, ela dá muitas e muitas mamadas, nenhuma delas eficiente e satisfatória para o bebê.

Alimentação e higiene

A maioria dos germes é transferida pelas mãos! Ao cuidar de recém-nascidos, manter as mãos limpas, lavando-as com água e sabão, é um dos passos mais importantes para uma higiene adequada, em especial logo antes de alimentar o bebê. Lavar as mãos com água e sabão por no mínimo vinte segundos é a melhor prática para extrair e remover os germes. Enfatizamos o uso de água e sabão em lugar do gel higienizante para as mãos. Embora seja muito eficaz, o gel higienizante não reduz de maneira significativa o número de bactérias na mão, em parte porque não foi feito para remover a sujeira assim como a água e o sabão. A declaração muito citada de que esse tipo de gel pode ter 99% de eficácia passa a impressão errada, pois se baseia na eficácia do produto de destruir bactérias em superfícies rígidas e sem porosidade, não nas mãos. O *site* do Centro de Controle de Doenças dos EUA (*www.cdc.gov*) sugere que, não havendo água e sabão disponíveis, seja usado um gel higienizante para as mãos com no mínimo 60% de álcool para obter melhores resultados de higiene.

Lavar as mãos não só é uma boa prática para os pais desenvolverem, como também a todos que pegarem o recém-nascido no colo. Com o bebê nos braços, o impulso natural é tocar seu rosto, o nariz, o queixo ou segurar e examinar os dedinhos. É claro que o toque faz parte da experiência humana, mas a cautela exige que as mãos estejam lavadas.

Posições corretas para amamentação

O posicionamento correto do bebê no seio da mãe é imprescindível para o sucesso na lactação. Para pegar corretamente o peito, o corpo inteiro do bebê, a cabeça, o peito, a barriga e as pernas, precisa estar alinhado de frente para o seio da mãe. Se a cabeça estiver girada, numa posição diferente do corpo, o bebê não conseguirá mamar de maneira eficaz. Tente se imaginar sentada numa cadeira com a cabeça virada para o lado, enquanto tenta beber algo oferecido por alguém em pé atrás de você. Como sua boca não está no centro do copo, tentar beber e engolir é difícil porque seu esôfago se contrai na região em que o pescoço está virado. É assim que o bebê se sente quando não está adequadamente alinhado no peito da mãe. A posição desconfortável para o pescoço dificulta mamar e engolir; por isso, a alimentação é ineficaz. A mãe sabe que o bebê está na posição correta quando a ponta do nariz dele pressiona levemente seu seio e os joelhos dele encostam em seu abdômen.

Assim que a mãe consegue alinhar direito o bebê, ela deve empurrar suavemente seu mamilo para baixo, na direção do lábio inferior da criança, até que sua boca se abra. Por que o lábio inferior? Porque ele está ligado à mandíbula, que instantaneamente se abre para receber comida. O lábio superior se conecta com a parte superior do rosto e da cabeça e permanece imóvel enquanto o bebê se alimenta. Todos os reflexos necessários para sugar, mastigar e engolir estão na parte inferior da boca; por isso, o estímulo para mamar se encontra no lábio inferior.

Com a estimulação do lábio inferior, o bebê abre a boca naturalmente, permitindo que a mãe coloque seu mamilo no centro enquanto puxa o bebê para mais perto do seio. Quando isso é feito, o bebê pega o mamilo e a auréola, não só o mamilo. Para ajudá-la ainda mais a obter sucesso na amamentação, existem três posições intercambiáveis para dar de mamar: *sentada*, *deitada de lado* e *invertida*.

A posição mais usada é *sentada*. Sentada numa cadeira confortável, coloque a cabeça do bebê na curva de seu braço. Um travesseiro colocado sob o braço de apoio da mãe diminui a tensão sobre o pescoço e a parte superior das costas. Lembre-se de manter o corpo inteiro do bebê corretamente alinhado, de frente para os seus seios.

As mães que estão se recuperando de uma cirurgia cesariana usam a posição *deitada de lado* com frequência por causa da sensibilidade que sentem no abdômen. A ilustração mostra uma mãe em posição reclinada com o bebê apoiado por um travesseiro. A barriga do bebê e a da mãe devem estar de frente uma para a outra, embora não se toquem. A cabeça do bebê deve estar centralizada no seio.

Para usar a posição *invertida*, coloque uma das mãos debaixo da cabeça do bebê enquanto levanta e apoia o peito com a outra. Com os dedos acima e abaixo do mamilo, leve o bebê ao peito aproximando-se dele. Conforme já explicado, empurre suavemente seu mamilo para baixo, na direção do lábio inferior do bebê, até a boca dele se abrir. Quando a boca estiver bem aberta, coloque o mamilo no centro e aproxime o bebê até que a ponta do nariz dele encoste no seio.

Com que frequência devo dar de mamar?

A primeira regra geral é: sempre alimente um bebê faminto. A frequência depende da singularidade de cada criança. Em média (ao longo das primeiras semanas), os bebês dão sinal de fome a cada duas horas e meia ou três horas. Pode ser menos e, às vezes, um pouco mais. Como calcular o tempo entre as mamadas? É melhor contar do início de uma mamada ao início da próxima. Há dois componentes envolvidos: o tempo que leva para amamentar, aproximadamente de vinte a trinta minutos e o tempo total de dormir e ficar acordado, uma média de duas horas. Se você somar esses dois períodos, chegará a um ciclo de alimentação de duas horas e meia. A rotina de três horas reflete os mesmos componentes, mas com um período maior acordado e dormindo. Baseando-se nesses períodos, você terá uma média de oito a dez mamadas por dia nas primeiras semanas, que segue as recomendações da Academia Norte-Americana de Pediatria.[5]

Os recém-nascidos são capazes de se adaptar ou de aprender a reagir a uma rotina de alimentação nas primeiras semanas de vida? A pesquisa de D. P. Marquis comparou bebês alimentados numa rotina de três horas, de quatro horas e por livre demanda. O estudo concluiu que, embora todos os grupos tenham demonstrado capacidade considerável de se adaptar àquilo que o meio de alimentação exigia, o período preferido por todos os bebês, conforme demonstraram os resultados coletivos, foi o de três horas. Até mesmo os bebês alimentados por livre demanda tiveram a inclinação natural de organizar sua rotina de alimentação refletindo o espaçamento de três horas. Os bebês alimentados a cada quatro horas demonstraram preferência por intervalos de três horas. Um aspecto surpreendente dessa pesquisa é o ano em que ela foi realizada: 1941. E aqui estamos nós, mais de setenta anos depois, e os resultados foram repetidos, mas nunca repudiados. O bebê tem a inclinação natural de organizar suas mamadas em ciclos previsíveis no início da vida. Um dos motivos para o sucesso da AOP é que ela apoia e incentiva as inclinações naturais do bebê a uma rotina e a uma alimentação rotineira.

Os intervalos no dia do bebê

Ao abordar os períodos de tempo para comer, ficar acordado e dormir, as recomendações de *Nana, nenê* são dadas em intervalos, não em horários específicos. Por exemplo, você lerá que as mamadas costumam ocorrer a cada duas horas e meia ou três horas; e as sonecas duram entre uma hora e meia e duas horas. Pode ser tentador presumir que o número maior é melhor do que o menor. Por exemplo, a mãe pode presumir que duas horas é a melhor duração de uma soneca. Mas esse pode não ser o caso, já que alguns bebês tendem a cochilar por duas horas, outros por uma hora e meia e outros por algum período entre os dois. O intervalo de tempo normal é apenas isso: um intervalo. Não se trata de uma escala de bom, melhor e máximo, na qual o número mais alto sempre representa o melhor. Contanto que a atividade se enquadre no intervalo normal, será a quantidade certa para seu bebê.

Embora os ciclos alimentares de duas horas e meia a três horas sejam uma boa média, haverá ocasiões em que a mamada ocorrerá antes, mas essa deve ser a exceção, não a regra. Um dos primeiros desafios do aleitamento é não cair no hábito de amamentar demais, por exemplo, em intervalos de uma hora e meia a duas horas, ou de deixar o bebê muito tempo sem mamar, como por mais do que três horas e meia. Amamentar demais o bebê pode cansar a mãe e reduzir sua capacidade física de produzir a quantidade suficiente de leite de qualidade. Acrescente os hormônios do pós-parto a essa equação e você entenderá por que tantas mulheres simplesmente jogam a toalha e desistem de amamentar. Em contrapartida, não oferecer mamadas suficientes ao longo do dia porque os ciclos de fome são mais longos do que três horas e meia gera uma falha de estimulação suficiente para produzir um suprimento duradouro de leite. Aproximar-se do intervalo de duas horas e meia a três horas nas primeiras semanas atenderá tanto a lactação da mãe quanto as necessidades nutricionais do bebê.

As três fases do leite

O primeiro leite produzido é um líquido grosso e amarelado chamado *colostro*. O colostro é no mínimo cinco vezes mais rico em proteína e, ao mesmo tempo, mais pobre em açúcar e gordura do que o leite materno maduro que ainda virá. Ao agir como um concentrado de proteínas, o colostro é rico em anticorpos que protegem o bebê de uma série de doenças bacterianas e virais. Ele também incentiva a passagem do *mecônio*, as primeiras fezes eliminadas pelo bebê. O mecônio é preto esverdeado e de textura grudenta, formado por tudo que foi coletado dentro do útero, inclusive cabelo, muco, bile e líquido amniótico.

Dentro de dois a quatro dias, a mãe que está amamentando começa a produzir o *leite de transição*, que pode durar de sete a catorze dias. O conteúdo desse leite é menos proteico do que o colostro, porém mais rico em gordura, lactose, calorias e vitaminas lipossolúveis. Ao leite de transição se segue o leite materno regular, conhecido como *leite maduro*. O leite maduro é formado pelo *primeiro leite* e o *segundo leite*, que contém quantidades diferentes de lactose (carboidratos do leite) e gordura. O primeiro leite é liberado antes e costuma ser ralo em consistência, com menor teor de gordura, porém mais rico em lactose. Ele sacia a sede do bebê e sua necessidade de líquido. O segundo leite é liberado após vários minutos de amamentação. Apresenta textura cremosa e tem teor mais alto de gordura, necessária para o ganho de peso e para o desenvolvimento do cérebro. Há propriedades no segundo leite, não encontradas no primeiro, que ajudam o bebê a digerir e eliminar dejetos, estabelecendo um padrão saudável de defecação.

Alguns fatos adicionais

Depois que o leite desce, os períodos de amamentação duram uma média de quinze minutos em cada seio. A sensibilidade nos seios nos dias antes da chegada do leite maduro não é incomum. Isso acontece porque o bebê tem a tendência de sugar forte para receber o colostro, mais grosso do que o leite maduro. O padrão típico é "sugar, sugar, sugar, engolir". Quando o leite maduro fica disponível, o bebê responde com movimentos rítmicos: "sugar, engolir; sugar, engolir; sugar, engolir". A força na sugada diminui e a sensibilidade deve cessar.

Outro fato a considerar é a velocidade que o bebê usa para esvaziar o peito. Alguns vão direto ao ponto e terminam rápido, enquanto outros fazem sua refeição num ritmo mais calmo. Pesquisas mostram que, com o estabelecimento da lactação, alguns bebês conseguem esvaziar os seios em sete a dez minutos por lado se sugarem com vigor (o fato não está necessariamente ligado ao sexo do bebê). Essa verdade surpreendente não tem o propósito de incentivar que o bebê seja colocado por menos tempo em cada seio, mas, sim, de demonstrar de forma clara sua habilidade de rapidez e eficiência.

Desafios da amamentação nos primeiros dez dias

A duração dos períodos de amamentação e o intervalo entre cada um mudam à medida que as necessidades do bebê se alteram. Um ponto de partida saudável para a mãe começa com a apreciação pelo milagre da vida e a habilidade materna de prover nutrição revigorante.

A primeira mamada

Um grande drama começa a se desenrolar na primeira vez que um bebê é levado até a mãe e começa a mamar. Trata-se de um momento precioso para ser desfrutado, olhando nos olhos do recém-nascido, pois só haverá uma "primeira" mamada com esse bebê. Não se preocupe em tentar fazer tudo certo; seu bebê saberá como agir.

A maioria dos bebês permanece alerta durante a primeira hora e meia após o nascimento. Portanto, esse é o momento ideal para levá-lo ao peito. Um período inicial de dez a quinze minutos por lado é um estímulo suficiente para os seios. Lembre-se, a primeira coisa a se vigiar é o posicionamento correto do bebê. Além de facilitar a amamentação adequada, também ajuda a evitar dores. Nessa e nas próximas várias mamadas, amamente durante o tempo que for confortável para você, sem esquecer que os dois seios precisam ser estimulados cada vez que o bebê mama.

O bebê sonolento

Depois do período inicial de alerta no pós-parto, os bebês amam dormir. Na verdade, um dos primeiros desafios que os novos pais podem esperar é a tendência de o bebê estar sonolento demais para mamar. Os recém-nascidos precisam ser alimentados a cada duas ou três horas. Isso quer dizer que, sonolento ou não, o bebê deve comer! Como fazer um bebê sonolento ficar acordado o suficiente para uma mamada completa? A mãe ou o pai podem despir o bebê, deixando-o só de fralda, e segurá-lo com contato pele a pele. Tente fazer uma massagem suave ou um carinho no rosto do bebê, esfregar seus pezinhos, trocar a fralda, falar tranquilamente ou compartilhar seus pensamentos mais profundos em voz alta. O bebê é um bom ouvinte e apreciará o som de sua voz. Seja criativo e faça o que for necessário para alimentá-lo!

Incompreensão do peso ao nascer

Embora as horas e os dias ligados ao nascimento de um bebê costumem ser cheios de celebração e otimismo, a primeira notícia desanimadora chega mais ou menos um dia depois, quando os pais ficam sabendo que o bebê perdeu um pouco de peso desde que nasceu. Essas palavras levam medo ao coração da nova mãe e a fazem pensar que não está dando a nutrição adequada a seu bebê, em especial se estiver dando o peito. Ela pode, porém, se consolar um pouco com o fato de que o mesmo acontece com os bebês alimentados com leite artificial.

Embora os bebês percam de 5% a 7% do peso registrado ao nascer (e podem perder até 10% dentro dos limites normais), é triste que essa queda inicial de peso seja chamada de "perda de peso". Fica parecendo que o recém-nascido perdeu peso de que necessitava, em vez de perder o peso extra com o qual nasceu. A verdade é que os bebês nascem com fluidos adicionais e com o mecônio; ao serem excretados, o peso ajustado reflete o verdadeiro peso do bebê. O dr. Bucknam recomenda que os pais saibam o peso do bebê na hora da alta hospitalar, além do peso ao nascer.

Como medir a quantidade de alimento

As mães naturalmente querem saber se seus bebês estão recebendo nutrição suficiente para crescer. Como ela pode saber? De cinco a sete fraldas molhadas por dia depois da primeira semana, de três a cinco ou mais fezes amarelas por dia durante o primeiro mês e ganho constante de peso são bons indicadores de que o bebê está recebendo leite suficiente para um crescimento saudável. Para ajudar a acompanhar o crescimento de seu bebê nos primeiros dois meses, consulte as "Tabelas de crescimento saudável do bebê", no anexo 5, e as preencha sem falhar.

Os primeiros sete a dez dias

A amamentação durante os primeiros sete a dez dias é um período em que a mãe e o bebê realmente encontram seu equilíbrio. É um momento precioso, que não deve ser marcado por preocupação excessiva com o relógio, nem com uma rotina de alimentação, nem com o treinamento para dormir. Na verdade, incentivamos os pais a virar o relógio para a parede (de maneira figurada) e trabalhar com o único objetivo de dar uma mamada completa a cada período de alimentação. As mães que trabalham para que os bebês recebam uma mamada completa durante a primeira semana costumam descobrir que eles fazem uma transição natural para uma rotina consistente de duas e meia a três horas dentro de sete a dez dias. Os períodos de amamentação durante as primeiras semanas podem ter a média de trinta a quarenta minutos por mamada. Por favor, lembre que esses números se baseiam na média; alguns recém-nascidos mamam mais rapidamente e com mais eficiência, outros mamam com eficiência, mas gastam um pouco mais de tempo.

Quanto tempo dura um período de amamentação?

Algumas mães amamentam o bebê de quinze a vinte minutos de um lado, o colocam para arrotar e depois oferecem o outro lado por mais quinze a vinte minutos. Outras usam o método 10-10-5-5. Alternam lados, oferecendo cada peito por dez minutos (colocando o bebê para arrotar entre os períodos) e depois oferecendo cada seio por mais cinco minutos. O segundo método é útil para o bebê sonolento, pois a interrupção o estimula a permanecer desperto e garante estimulação igual de ambos os seios. Durante os primeiros dias, se o bebê desejar se alimentar por mais tempo, a mãe pode deixar ou pensar em oferecer uma chupeta. Caso ela sinta que o bebê tem necessidade de sugar, sem fins nutritivos, a chupeta pode atender a essa necessidade sem comprometer a rotina e sem fazer a mãe sentir que está se transformando na chupeta.

Entenda os picos de crescimento

E se o bebê sentir fome antes de duas horas e meia? Mesmo quando a mãe se esforça para garantir que o bebê faça uma mamada completa, às vezes são necessários momentos adicionais de alimentação. Isso costuma ocorrer durante um *pico de crescimento*. Esses picos são reações biológicas que afetam todos os bebês, independentemente de como são alimentados — pelo seio ou com leite artificial. Na verdade, o termo "pico de crescimento" é um pouco vago e não descritivo, já que o crescimento, compreendido da perspectiva de aumento no tamanho e do peso, não é seu resultado mais visível.

O pico de crescimento ocorre quando o bebê demanda calorias adicionais para uma necessidade de crescimento específica, muito provavelmente para restaurar a energia esgotada de células do corpo que armazenam energia. As calorias extras recebidas no período de alimentação aumentada fornecem as reservas que dão suporte ao processo de crescimento visível que se segue ao pico. Assim como a bateria de um carro se desgasta com o tempo e precisa ser recarregada para funcionar com capacidade máxima, é útil pensar nos picos de crescimento como sinal de que uma recarga é necessária. Durante os picos de crescimento, é preciso alimentar o bebê sempre que os sinais de fome se fizerem presentes. Para a mãe de primeira viagem, o primeiro pico de crescimento pode ser extraordinariamente preocupante se ela não estiver esperando, pois dura de um a quatro dias. Felizmente, ao fim do pico de crescimento, tudo volta ao normal, inclusive o padrão estabelecido de comer — ficar acordado — dormir.

Os picos de crescimento são previsíveis? Há divergências a esse respeito. Alguns médicos acreditam que eles ocorrem aos 10 dias de vida e depois às 3 semanas, às 6 semanas aos 3 e aos 6 meses. Outros afirmam que o período varia de um bebê para o outro. De todo modo, eles tendem a ocorrer numa faixa de tempo próxima à listada acima. Marque seu calendário durante essas semanas com o simples lembrete: "Provável pico de crescimento".

Para a nova mãe, o desafio é reconhecer o início do primeiro pico de crescimento. Além do lembrete no calendário, não costuma haver nenhum sinal de advertência antes de acontecer. Quando a rotina de comer — ficar acordado — dormir está finalmente entrando nos eixos, ela é atingida de repente pela bola de neve de um pico de crescimento! A mãe nota um aumento repentino dos sinais de fome, com a inquietação excessiva e o despertar de quarenta a cinquenta minutos mais cedo da soneca, acompanhado de um apetite devorador. A mãe dá de mamar, coloca o bebê para dormir e tudo se repete em duas horas ou menos.

Como a mãe poderá saber que o pico de crescimento terminou? Voltam os ciclos normais de alimentação e, no dia seguinte, a soneca do bebê dura mais tempo do que o normal. Isso acontece porque o pico de crescimento é tão cansativo para o bebê quanto para a mãe.

Leite materno ou artificial?

Ao analisar o valor nutricional, os bebês conseguirão se desenvolver tanto com o leite artificial quanto com o leite materno, mas, ao levar em conta os benefícios mais amplos, o leite materno é o alimento perfeito. Embora haja uma disparidade quanto aos benefícios nutricionais entre o leite materno e o artificial ao longo das doze primeiras semanas da vida do bebê, ela diminui de maneira significativa aos 6 meses de idade. Entre 6 e 12 meses, a diferença continua a reduzir. Isso ocorre em parte porque outras fontes de alimento são introduzidas na nutrição do bebê. A amamentação depois do primeiro ano, em nossa sociedade, é mais uma questão de preferência da mãe do que uma necessidade nutricional. Entretanto, a Academia Norte-Americana de Pediatria incentiva as mães a amamentarem por no mínimo um ano, uma prática comum para muitas mães adeptas da AOP.

No passado, alguns tentaram postular que a amamentação tem maior valor nutricional e sugeriram que a alimentação via mamadeira era um indicativo de que a mãe estava rejeitando seu papel biológico de mulher. Afirmava-se que o resultado seriam deficiências emocionais dos filhos no futuro. As pesquisas nos últimos sessenta anos que tentaram relacionar o método de alimentação infantil com o posterior desenvolvimento emocional falharam em comprovar todas essas ideias. A atitude geral da mãe em relação ao bebê supera todos os outros fatores, inclusive a via de alimentação. Incentivamos as mães que leem este livro a amamentar, mas reconhecemos que nem todas podem ou escolherão fazê-lo. A decisão de dar o peito ou a mamadeira não é um julgamento positivo ou negativo sobre as qualidades de uma mãe, nem causará impacto emocional no bebê.

Alimentação via mamadeira

Embora o leite artificial infantil seja uma criação do século 20, a alimentação via mamadeira já existe há milhares de anos. Nossos antepassados faziam mamadeiras de porcelana, madeira, estanho, vidro, cobre, couro e chifre de vaca. No passado, o leite animal não processado era o principal alimentado dado na mamadeira. Como se contaminava com facilidade, a mortalidade infantil era muito elevada.

Na primeira metade do século 20, quando a alimentação via mamadeira era moda, as opções eram limitadas. Hoje é diferente. As prateleiras das lojas estão repletas de possibilidades, das mamadeiras comuns de vidro e plástico às que têm sacos descartáveis, alças e formatos de animais. Todas vêm numa ampla variedade de cores e desenhos, embora isso seja mais para o divertimento da mãe do que do próprio bebê. A variedade de bicos é estonteante, passando pelo bico mais parecido com o seio da mãe, para o bebê sentir como se estivesse mamando no peito, até o ortodôntico, o destinado a sucos e até mesmo para cereal (que *não* recomendamos). Com tantas opções, só uma pessoa muito corajosa sairia para comprar uma mamadeira sem estar bastante disposta ou sem baixar um aplicativo para celular que explique as diferenças!

Na verdade, a única coisa importante na escolha de um bico de mamadeira é o tamanho certo do furo. Quando o furo no bico é grande demais, o bebê é forçado a beber muito rapidamente. Com frequência, isso o faz regurgitar em excesso e vomitar. O furo pequeno demais gera um bebê faminto e descontente. Para testar o bico, vire a mamadeira de cabeça para baixo. O leite deve gotejar aos poucos. Se ele escoar rapidamente, o furo é grande demais.

Uma vantagem da alimentação via mamadeira é que permite a participação de outros. Alimentar o bebê pode ser tão especial para o pai quanto é para a mãe. Os homens não deveriam ser privados da oportunidade de nutrir seus bebês. O mesmo se aplica a irmãos mais velhos e avós. É uma tarefa para a família inteira e todos se beneficiam.[6]

Leite artificial infantil

Para algumas mães, a escolha do leite artificial pode ser a melhor e, às vezes, a única opção de leite disponível. Tal decisão não deve ser vista como uma revelação negativa de sua maternidade e capacidade de cuidar do filho. Assim como a amamentação não faz uma boa mãe, a alimentação via mamadeira não é sinônimo de uma mãe ruim. É preciso superar outros mitos: o leite artificial não reduz o QI do bebê e não é só o leite materno que o aumenta.

Embora o leite da mãe tenha muitas vantagens para a saúde, o leite artificial não condenará a criança a infecções frequentes, obesidade ou autoestima baixa.

A única coisa que a mãe e o pai devem fazer ao dar a mamadeira é separar tempo para se sentar e segurar o bebê. Essa atitude alia o carinho de que o bebê precisa ao descanso bem-merecido de que a mãe e às vezes o pai necessitam.

O que é o leite artificial infantil?

Esse tipo de leite é fabricado para se aproximar das qualidades nutritivas do leite materno. Os principais tipos são:

- Leite artificial feito a partir do leite de vaca.
- Leite artificial feito a partir da soja para bebês intolerantes à lactose (o açúcar do leite).
- Leite artificial hipoalergênico para bebês alérgicos tanto a leite de vaca quanto a soja.

Saiba que o leite de vaca e o leite artificial infantil não são a mesma coisa. O leite de vaca não é um alimento apropriado para crianças com menos de 1 ano de idade. A melhor fonte de informação sobre qual opção é a melhor para seu bebê é o pediatra ou o médico de família.

A FDA (Food and Drug Administration — Administração de Alimentos e Medicamentos) é a organização que supervisiona a fabricação de leite artificial infantil nos Estados Unidos, garantindo que o produto final cumpra as exigências nutricionais.[7] Também é responsável por solicitar a devolução de alguns lotes, algo que ocorre às vezes. O leite artificial infantil é vendido de três formas diferentes:

- Em pó: a forma menos dispendiosa, deve ser dissolvido em água.

- Concentrado líquido: deve ser dissolvido em parte igual de água (é mais fácil de preparar do que o leite em pó).
- Pronto para beber: caro, mas não exige preparo.

Quanto leite artificial seu bebê deve consumir? A AAP oferece um guia acessível que deve ser seguido: os bebês precisam receber, por dia, 160 ml de leite artificial para cada quilo de seu peso. Por exemplo, se seu bebê pesa seis quilos, ele deve tomar cerca de 960 ml de leite artificial num período de 24 horas. Caso o bebê esteja dormindo a noite toda (pelo menos por oito horas), isso quer dizer de 180 a 240 ml a cada três ou quatro horas durante o dia, mas sem exceder a porção diária de 960 ml, a menos que o pediatra do bebê faça uma recomendação diferente.

Posições a se evitar na alimentação via mamadeira

Evite dar a mamadeira ao bebê quando ele estiver deitado numa posição completamente horizontal. (Isso também se aplica às mães que tentarem amamentar deitadas.) Tomar líquidos deitado pode fazer os fluidos entrarem no ouvido médio, causando infecções de ouvido. Também não se deve colocar o bebê para dormir com a mamadeira, não só por causa de infecções de ouvido, mas para evitar cáries. Quando o bebê dorme com a mamadeira na boca, o açúcar do leite artificial reveste os dentes, provocando cáries até mesmo nos dentinhos em desenvolvimento.

Como colocar o bebê para arrotar

Alimentar o bebê e colocá-lo para arrotar são atos inseparavelmente ligados porque os bebês têm a tendência de engolir um pouco de ar enquanto se alimentam e, se o ar não for liberado, causará desconforto. Dentro do estômago do bebê, o ar engolido assume a forma de bolhas minúsculas que não conseguem escapar ou ser liberadas sem ajuda. Dar batidinhas nas costas do bebê ao mesmo tempo em que se aplica uma leve pressão sobre seu estômago força as bolhas pequenas a se juntarem, formando uma bolha maior que o bebê consegue arrotar.

Embora todos os bebês costumem engolir um pouco de ar enquanto se alimentam, os que tomam mamadeira tendem a engolir mais ar do que os mamam no peito. Isso acontece porque o leite flui mais rapidamente pelo bico da mamadeira, levando os bebês a engolir ar. O problema pode ser reduzido ao se manter o bico cheio de leite, sem espaço para ar. Você pode tentar usar mamadeiras planejadas especificamente para minimizar a entrada de ar durante o processo de alimentação. Além disso, os bebês (tanto os que mamam na mamadeira quanto os que mamam no peito) acumulam menos ar quando alimentados numa posição inclinada.

Colocar o bebê para arrotar é uma habilidade adquirida; por isso, preste atenção à intensidade dos tapinhas durante o processo. Você aprenderá a diferença entre um toque suave demais e outro forte demais. Se for muito suave, não será suficiente para colocar o ar preso para fora; mas, se for forte demais, pode machucar o bebê e assustá-lo. Tapinhas suaves e repetidos nas costas do bebê serão suficientes, não é necessário fazer força demais. Para ficar mais confiante, observe mães experientes em ação.

Posições para arrotar

As quatro posições mais comuns para colocar o bebê para arrotar foram ilustradas, a fim de que os pais descubram qual funciona melhor para seu bebê. Todas elas têm em comum a leve pressão sobre a barriga do bebê enquanto as costas recebem tapinhas. O arroto pode acontecer uma, duas ou três vezes durante a mamada, dependendo do bebê e da eficiência de sua mamada. Os recém-nascidos que tomam mamadeira devem arrotar a cada 30 ou 60 ml e os bebês amamentados, ao mudar de peito.

1. *Sentado no colo*: coloque a palma da mão sobre o estômago do bebê. Agora faça um gancho com o polegar em volta do lado do bebê, envolvendo o restante dos dedos na região do peito. Observe na figura como o bebê está seguro e ereto no colo da mãe, enquanto uma das mãos dela o apoia e segura seu peito. Incline ligeiramente o bebê e comece a dar tapinhas em suas costas.

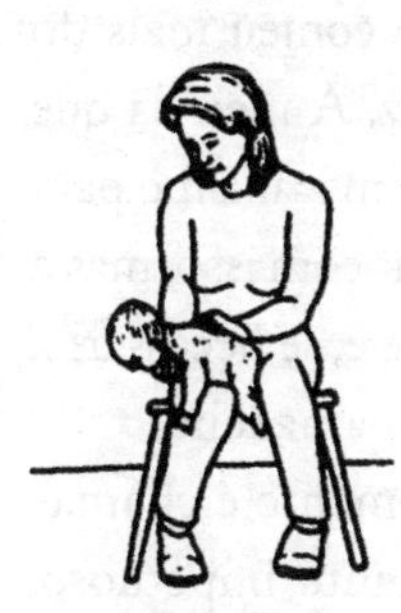

2. *Barriga em cima do colo*: sente-se, coloque as pernas do bebê entre as suas e o incline sobre sua coxa. Enquanto apoia a cabeça do bebê com as mãos, junte os joelhos para apoiá-lo ainda mais e dê tapinhas firmes nas costas.
3. *No ombro*: com o peito do bebê encostado numa fralda de pano colocada sobre o ombro da mãe e a barriga na frente do ombro, comece a dar tapinhas firmes em suas costas.
4. *De bruços*: a mãe coloca o bebê nos braços segurando o bumbum com uma mão. A cabeça do bebê encosta no cotovelo da mãe. Um dos braços do bebê e uma das pernas são colocados em volta do braço dela, com o rosto do bebê voltado para a direção oposta do corpo da mãe. Essa posição deixa livre a outra mão para dar os tapinhas nas costas.

Se o bebê não arrotar dentro de poucos minutos, você pode mudá-lo de posição e tentar mais uma vez antes de continuar a alimentá-lo. Com certeza, toda mãe deseja manter a roupa limpa, portanto vale a pena manter uma fralda de pano sempre à mão.

Regurgitação e vômito

A regurgitação é uma ocorrência comum em bebês. Em geral, acontece durante o arroto, quando a "bolha" é liberada e parte do leite ingerido sai junto. Também pode acontecer por causa de movimentos desnecessários, por exemplo, quando o vovô coloca o bebê para pular em seus joelhos ou quando a irmã mais velha tenta acalmá-lo balançando-o demais. Quando o bebê regurgita devido a movimentos, costuma ser um sinal de que ele comeu mais do que o estômago é capaz de processar de uma vez. À medida que aumenta a pressão no estômago, a regurgitação é o mecanismo para liberar o excesso. Não há motivo para se preocupar com isso, mas a mãe deve monitorar com que frequência acontece e, se necessário, diminuir o volume de leite que o bebê toma na mamadeira.

Uma forma mais preocupante de voltar o alimento é chamada de vômito, muito maior em volume e bastante impetuoso, chegando a cair a mais de um metro de distância do bebê. O vômito não é um diagnóstico específico ou uma doença, mas um termo de comparação com a forma bem menos intensa de voltar alimento que é a regurgitação. Embora seja normal o bebê ter um episódio ou dois de vômito, ocorrências rotineiras apontam para um problema mais sério. O vômito pode ser um sinal de refluxo gastroesofágico (ver capítulo 8). Também pode ser um indicativo de infecção intestinal. O bebê que vomita suas refeições com frequência não recebe calorias suficientes para o crescimento adequado e pode ficar desidratado muito rapidamente. Fazer um diagnóstico correto e iniciar o tratamento adequado são atitudes muito importantes.

Desafios na hora de arrotar

Durante a primeira semana de vida, quando o bebê tem a tendência de ficar mais sonolento, às vezes é difícil colocá-lo para arrotar. Se, depois de tentar por cinco minutos, o bebê estiver mais interessado em dormir do que em arrotar, coloque-o no bebê-conforto, não no berço. A gravidade é maravilhosa e ajuda a fazer o leite descer. Com o tempo, faz as bolhas de ar se dissiparem. Depois de cada mamada, com exceção das feitas no final da noite e do meio da madrugada, colocar o recém-nascido no bebê-conforto por dez a quinze minutos é útil para evitar que o leite volte para o esôfago, em forma de refluxo. Elevar, de três a cinco centímetros, a cabeça do recém-nascido também pode ajudar, em especial se seu pequeno tiver um caso leve de refluxo. Simplesmente coloque um livro ou uma prancha de madeira debaixo dos pés do berço que ficam sob a cabeceira.

Soluço

Mesmo com as melhores técnicas para arrotar, haverá ocasiões em que uma bolha de ar ficará presa na barriga ou no intestino do bebê e o resultado será um destes dois: soluço ou gases. Infelizmente, quando têm a segunda sensação, a maioria dos bebês reage contraindo o bumbum e resistindo à expulsão normal dos gases. Isso os deixa muito desconfortáveis. Para aliviar o desconforto do bebê, coloque-o na posição joelho-no-peito, ou seja, coloque as costas do bebê junto a seu peito e então eleve os joelhos dele até o peito.

Todo bebê tem soluço uma vez ou outra e alguns soluçam todos os dias, até mesmo dentro do útero. Depois do nascimento, os soluços em bebês são bem normais e mais problemáticos para os pais do que para eles. Podem durar de cinco a trinta minutos e, embora não haja certeza científica quanto à causa, a maior parte das evidências aponta para a alimentação. Se observar que seu recém-nascido está soluçando depois de cada mamada, tente dar um pouco menos de leite artificial ou materno e o alimente com uma frequência ligeiramente maior, para ver se isso faz diferença. Outra ideia é tratar os soluços como um arroto. Use uma das posições verticais para arrotar, dê tapinhas suaves nas costas do bebê; a liberação de parte do ar que continua preso deve aliviar o problema.

De uma extremidade a outra

É incrível como os novos pais devem dar atenção àquilo que sai por cima (arrotos) e ao que sai por baixo (fezes). Esteja ciente de que as evacuações do bebê amamentado são diferentes das eliminadas pela criança alimentada com leite artificial. É comum que, nos primeiros dias, o bebê que mama no peito evacue depois de cada mamada ou pelo menos várias vezes ao dia. As fezes frequentes são um sinal de que tudo está funcionando bem e de que a produção de leite da mãe é suficiente. Em geral, as fezes são amarelas e coalhadas. As fezes do recém-nascido, na primeira semana, mudam de consistência, de uma firme massa amarronzada para fezes moles, granulosas, com odor adocicado e cor mostarda. As fezes amarelas são o sinal sadio de um bebê que mama exclusivamente no peito. Depois da primeira semana, duas a cinco (ou mais) fezes amarelas, com sete a nove fraldas molhadas por dia são sinais de que seu bebê está recebendo a quantidade adequada de leite para crescer saudavelmente. O bebê alimentado via mamadeira faz fezes mais firmes, de cor marrom clara a dourada ou acinzentada, com cheiro mais forte do que as dos bebês que mamam no peito.

Com mais ou menos 1 mês de vida, o bebê amamentado deixa de evacuar várias vezes ao dia e começa a evacuar entre uma e duas vezes. Por volta dos 2 meses, não é incomum para o bebê que mama exclusivamente no peito passar vários dias sem evacuar. Em nosso arquivo de cartas, encontramos uma mãe que observou:

> Assim que meu primeiro filho nasceu, percebi que ele inicialmente evacuava depois de cada mamada. Esse padrão mudou aos poucos, de várias vezes ao dia para uma vez por dia e depois uma vez a cada dois dias. Entre 3 e 4 meses de vida, ele havia desenvolvido um novo "normal": uma evacuação a cada cinco dias. Em contrapartida, o que foi normal para nosso primeiro filho não foi o mesmo para seus irmãos. Cada criança desenvolveu um padrão único para seu corpo.

Os bebês que tomam leite artificial tendem a evacuar de três a cinco vezes por semana nas primeiras semanas, diminuindo para uma vez por dia ou uma vez a cada dois ou três dias por volta de um a 2 meses de idade. A cor das fezes pode ser amarela, marrom ou caramelo e a consistência costuma ser pastosa. Seja seu bebê alimentado no peito ou com mamadeira, você descobrirá o que é normal para ele. O ponto central é se certificar de que ele evacua com regularidade e observar a cor e a consistência. Em ambos os métodos de alimentação, as fezes devem ter consistência macia.

5

Oriente o dia do seu bebê

Já definimos a *alimentação orientada pelos pais* como uma estratégia de 24 horas de orientação das atividades do bebê, cujo objetivo é ajudar os pais a se conectar com as necessidades da criança, e ajudá-la a se conectar com todos os membros da família. Os dois pensamentos relevantes nessa definição são "24 horas" e "orientação". O primeiro representa o dia do bebê e o segundo fala do envolvimento da mãe e do pai no dia da criança: eles devem ser os *orientadores*. Mas o que exatamente os pais devem orientar? A resposta curta se encontra nas necessidades do bebê, em constante evolução, transformação e crescimento.

As crianças chegam a este mundo com a necessidade básica de nutrição, sono, crescimento cognitivo, amor e segurança. À medida que o bebê cresce, essas necessidades não mudam, mas a forma de satisfazê-las, sim. É nisso que reside o desafio. Como criar uma rotina para o bebê que seja previsível, mas, ao mesmo tempo, "flexível" o suficiente para atender às necessidades crescentes e em transformação de comer – ficar acordado – dormir?

Parte da resposta vem da compreensão do sentido de *flexibilidade*. A palavra base, "flexível", significa "capaz de se inclinar ou dobrar". Para pensar num item flexível, lembre-se de algo com um formato particular que pode ser dobrado ou esticado e então voltar para sua forma original. A capacidade de voltar para a forma original é, talvez, o elemento mais fundamental da flexibilidade. Durante as primeiras semanas de estabilização, é importante que você molde e formate a rotina do seu bebê. O excesso de flexibilidade não permitirá que isso aconteça. É por essa razão que a rotina deve ser consolidada *antes* da introdução da flexibilidade no dia do bebê.

Atividades da rotina do seu bebê

As três atividades da rotina do bebê são: *hora de comer*, *hora de ficar acordado* e *hora de dormir*. Com as modificações adequadas à idade, as mesmas três atividades continuam até o bebê completar seu primeiro aniversário. O desafio dos pais é saber quando as mudanças estão a caminho e como eles devem reagir a elas. Para abordar o assunto de forma sistemática, iremos:

Primeiro: apresentar as mudanças relacionadas a comer – ficar acordado – dormir que acontecem ao longo do primeiro ano de vida, discutindo quando elas chegam e como ajustar a rotina do bebê.

Segundo: revisar diretrizes específicas ligadas às atividades de comer – ficar acordado – dormir ao longo das primeiras doze semanas.

Terceiro: introduzir alguns princípios gerais para administrar as rotinas.

Começamos nosso debate apresentando o *princípio da fusão.*

Entenda o princípio da fusão

Fusão é uma palavra muito apropriada no contexto do início da criação dos filhos, pois sua definição descreve exatamente o que deve acontecer durante o primeiro ano de vida do bebê. A orientação dos pais está intimamente ligada a fundir as necessidades cambiantes de uma etapa do crescimento com as da próxima. Esse conceito é mais fácil de ser explicado por meio de uma ilustração.

Observe, a seguir, um exemplo de agenda de um recém-nascido. Há nove ciclos de comer — ficar acordado — dormir distribuídos igualmente num período de 24 horas. Cada ciclo, desde o início de um período de alimentação até o começo do seguinte, tem aproximadamente duas horas e meia de intervalo, tempo suficiente para a nutrição básica e as necessidades de sono de um recém-nascido. Embora nove ciclos de comer — ficar acordado — dormir por dia pareçam fatigantes (e são mesmo), eles também são necessários, mas passageiros! (Os horários das agendas de exemplo neste capítulo são apenas ilustrativos. Por exemplo, estamos usando 7 horas para "primeira mamada da manhã", mas saiba que seu bebê pode começar às 6, às 8 horas, ou em qualquer horário no meio do caminho. Personalize os horários para se adequar às necessidades de seu bebê.)

EXEMPLO DE AGENDA SEMANAS 1 E 2 *Atividades*	
1. Início da manhã 7h	1. Dar de mamar, trocar fralda e fazer higiene 2. Hora de ficar acordado: mínima 3. Hora de dormir: soneca
2. Meio da manhã 9h30	1. Dar de mamar, trocar fralda e fazer higiene 2. Hora de ficar acordado: mínima 3. Hora de dormir: soneca
3. Início da tarde 12h	1. Dar de mamar, trocar fralda e fazer higiene 2. Hora de ficar acordado: mínima 3. Hora de dormir: soneca
4. Meio da tarde 14h30	1. Dar de mamar, trocar fralda e fazer higiene 2. Hora de ficar acordado: mínima 3. Hora de dormir: soneca
5. Fim da tarde 17h	1. Dar de mamar, trocar fralda e fazer higiene 2. Hora de ficar acordado: mínima 3. Hora de dormir: soneca
6. Início da noite 20h	1. Dar de mamar, trocar fralda e fazer higiene 2. Hora de ficar acordado: mínima 3. Hora de dormir: soneca

7. Tarde da noite 23h	1. Dar de mamar, trocar fralda e colocar para dormir. Permita que o bebê acorde naturalmente, mas não o deixe dormir à noite mais de quatro horas contínuas durante as quatro primeiras semanas.
8. Meio da madrugada 1h30	1. Dar de mamar, trocar fralda e colocar de volta no berço (Em geral, entre 1h e 2h30 da manhã).
9. Fim da madrugada 4h	1. Dar de mamar, trocar fralda e colocar de volta no berço (Em geral, entre 3h30 e 5h da manhã).

Agora observe a diferença drástica das atividades de comer – ficar acordado — dormir de um bebê entre 10 a 12 meses:

EXEMPLO DE AGENDA SEMANAS 48 A 52	*Atividades*
1. Manhã 7h30	1. Hora de comer: desjejum 2. Atividades da hora de ficar acordado 3. Hora de dormir: soneca
2. Metade do dia 11h30	1. Hora de comer: almoço 2. Atividades da hora de ficar acordado 3. Hora de dormir: soneca
3. Fim da tarde 15h30 - 16h	1. Lanche depois da soneca 2. Atividades da hora de ficar acordado 3. Hora de jantar com a família 4. Hora de ficar acordado no início da noite
1. Hora de dormir 20h	1. Colocar para dormir a noite inteira

Qualquer pessoa que comparar os dois exemplos de agenda achará óbvias as diferenças. O mais notável é que os nove ciclos de comer — ficar acordado — dormir são reduzidos para três ciclos principais (desjejum, almoço e jantar) até o primeiro aniversário da criança. O que aconteceu com os outros seis ciclos? Um a um, eles se *fundiram* à medida que o bebê se desenvolveu. Os nove ciclos passaram para oito; os oito eventualmente se tornaram sete; os sete ciclos passaram para seis e assim por diante, até a rotina do bebê ser formada apenas por desjejum, almoço e jantar.

As três perguntas mais urgentes para as quais mães e pais adeptos de *Nana, nenê* procuram encontrar respostas são:

1. Que mudanças os pais podem esperar?
2. Quando os pais devem esperá-las (em média)?
3. Que ajustes os pais precisarão fazer?

Cada bebê é diferente no que se refere ao tempo dessas transições de fusão. Sabemos a época em que geralmente os ciclos começam a se fundir, mas não podemos apontar os momentos exatos em que isso ocorrerá com *seu* bebê (embora as primeiras semanas e os primeiros meses sejam mais previsíveis do que os posteriores).

De igual importância é o número de fusões. Embora nove ciclos seja a média da maioria dos recém-nascidos na AOP, algumas mães se sentem mais confortáveis iniciando com dez ciclos de comer — ficar acordado — dormir. Há bebês que, logo depois do nascimento, se adaptam a oito ciclos. Independentemente do que funcionar melhor para cada família, o princípio da *fusão* ainda se aplica. Felizmente, há algumas diretrizes gerais que podem ajudar qualquer pai e mãe a dirigir as várias fusões de ciclos.

Diretrizes para fazer a fusão dos ciclos de comer – ficar acordado – dormir

Primeira: compreender o princípio de *capacidade* e *habilidade*. Uma mãe não pode decidir eliminar uma mamada ou ajustar um momento de soneca de forma arbitrária, sem que o bebê tenha a capacidade física e a habilidade de fazer o ajuste. Por exemplo, um bebê de 2 semanas não tem capacidade de passar oito horas sem se alimentar nem habilidade de dormir a noite inteira; portanto, nesse momento, a mãe não deve pensar em eliminar a mamada noturna.

Segunda: compreender o princípio da *variação de tempo*. Embora a duração de cada ciclo de comer — ficar acordado — dormir seja relativamente constante durante as primeiras semanas de vida, com o tempo, cada ciclo assumirá características únicas. Por exemplo, um bebê aos 4 meses de idade pode ter um ciclo mais curto, com duas horas e meia de duração, e outro mais longo, de três horas e meia. Aos 6 meses, tudo muda de novo. A variação depende da idade do bebê, de suas necessidades únicas e da hora do dia.

Terceira: compreender o princípio da última e da primeira mamada. Não importa qual "fusão" esteja acontecendo, no ajuste da rotina do bebê, a primeira mamada do dia sempre é estratégica. Sem um horário consistente estabelecido para a primeira mamada da manhã, o bebê pode se alimentar a cada três horas, mas cada dia a rotina será diferente. Isso não é bom para o bebê nem para a mãe. Embora possa haver certa flexibilidade para esse primeiro momento de alimentação, tente mantê-lo dentro de uma variação de vinte minutos. Lembre-se, a flexibilidade só tem lugar depois do estabelecimento da rotina. A mãe passará a apreciar a consistência no tempo, pois poderá planejar seu dia pensando nas necessidades de seu bebê em se alimentar e dormir.

Depois que seu bebê estiver dormindo oito horas durante a noite, a *primeira* e a *última* mamadas do dia se tornam dois momentos estratégicos de alimentação. Não importa se o bebê está numa rotina de três, quatro ou quatro horas e meia, *todos os outros ciclos de comer — ficar acordado — dormir devem ficar dentro desses dois momentos "fixos" de alimentação e, portanto, precisam ser um tanto quanto consistentes.*

Quarta: compreender o princípio da *individualidade das crianças*. Todos os bebês passam pelas mesmas fusões, mas não ao mesmo tempo. Por exemplo, Cory começou a dormir por oito horas durante a noite às 6 semanas de vida. Do outro lado do país, sua prima Anna começou a dormir oito horas por noite às 10 semanas. Trata-se de uma diferença de quatro semanas. No entanto, às 12 semanas, Anna começou a dormir doze horas por noite, ao passo que Cory nunca dormiu mais de dez horas ao longo do primeiro ano de vida. Os dois bebês passaram pelas mesmas duas fusões (eliminar a mamada do meio da madrugada e a de tarde da noite), mas em momentos diferentes, de acordo com suas necessidades individuais de sono.

Quinta: compreender o princípio de *dois passos para frente e um para trás*. Ao passo que algumas fusões de ciclos de comer — ficar acordado — dormir acontecem de repente e só precisam de um dia para se tornar um novo padrão, a maioria delas leva de quatro a seis dias para se transformar no "novo normal" estabelecido. Por exemplo, na semana seis, o bebê começa a dormir de cinco a seis horas por noite. Na sétima semana, ele dorme até sete horas; depois, por algumas noites, volta a dormir só cinco horas. Por fim, ele estende o sono noturno para oito horas consistentes e depois para dez ou mais. Dar dois passos para frente e um para trás é comum durante as várias fusões.

Sexta: Os princípios funcionam tão bem para bebês que tomam mamadeira quanto para os que mamam no peito.

Do princípio para a prática

Quais são os "gatilhos" do desenvolvimento que sinalizam o momento de fundir dois ciclos em um? O bebê criado segundo a AOP tem uma maioria de gatilhos previsíveis, que caem dentro de um período cronológico. Existem sete grandes fusões de transição ao longo do primeiro ano; portanto, os pais devem ficar de olho em sete grandes gatilhos.

Primeira fusão: entre 3 e 5 semanas

A maioria dos bebês começa fazendo duas mamadas durante a madrugada, por exemplo, às 2 e às 5 horas. Em algum momento entre as semanas três e cinco, eles começam a esticar o intervalo do sono noturno, de três horas para três horas e meia ou quatro horas. Ao fazer isso, começam a fundir as mamadas das 2 e das 5 horas em uma só mamada "do meio da madrugada" às 3 horas. Graficamente, a primeira fusão fica assim:

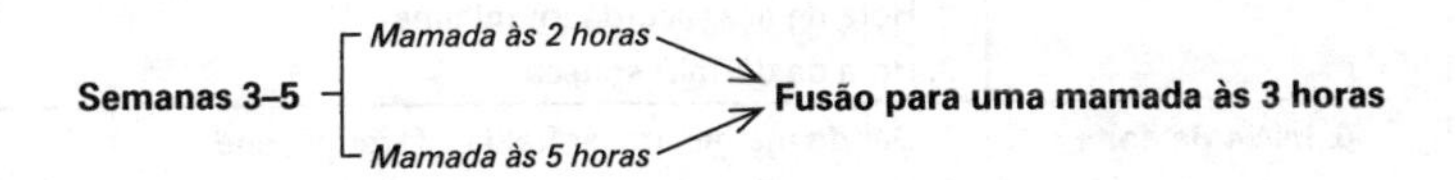

Essa fusão reduz os nove ciclos de comer — ficar acordado — dormir para oito ciclos num período de 24 horas. Nessa época, a maioria dos bebês criados segundo a AOP dorme das 23 às 3 horas. Amamentam ou tomam mamadeira e depois dormem até as 6h30 - 7 horas. Dormir por períodos de quatro horas à noite se torna o "novo normal" do bebê. Parabéns, só há mais seis fusões a fazer! (Essa fusão será adiada em prematuros de forma proporcional ao número de semanas de gestação.)

Ajuste da rotina do bebê após essa fusão: não é necessário nenhum grande ajuste à rotina de comer — ficar acordado — dormir durante o dia. A mãe perceberá que os momentos de ficar acordado começam a ficar maiores, mas, de modo geral, não ocorre nenhuma mudança significativa nos ciclos. A maioria dos bebês continua seguindo uma rotina de duas horas e meia a três horas.

EXEMPLO DE AGENDA APÓS A PRIMEIRA FUSÃO SEMANAS 3 A 5 *Atividades*	
1. Início da manhã 7h	1. Dar de mamar, trocar fralda e fazer higiene 2. Hora de ficar acordado: mínima 3. Hora de dormir: soneca
2. Meio da manhã	1. Dar de mamar, trocar fralda e fazer higiene 2. Hora de ficar acordado: mínima 3. Hora de dormir: soneca
3. Início da tarde	1. Dar de mamar, trocar fralda e fazer higiene 2. Hora de ficar acordado: mínima 3. Hora de dormir: soneca
4. Meio da tarde	1. Dar de mamar, trocar fralda e fazer higiene 2. Hora de ficar acordado: mínima 3. Hora de dormir: soneca
5. Fim da tarde	1. Dar de mamar, trocar fralda e fazer higiene 2. Hora de ficar acordado: mínima 3. Hora de dormir: soneca
6. Início da noite	1. Dar de mamar, trocar fralda e fazer higiene 2. Hora de ficar acordado: mínima 3. Hora de dormir: soneca
7. Tarde da noite	1. Dar de mamar, trocar fralda e colocar para dormir. Permita que o bebê acorde naturalmente, mas não o deixe dormir à noite mais de quatro horas sem parar durante as quatro primeiras semanas.
8. Meio da madrugada	1. Dar de mamar, trocar fralda e colocar de volta no berço (em geral, entre 1h e 3h da manhã).

Segunda fusão: entre 7 e 10 semanas

Entre a sétima e a décima semana, a maioria dos bebês cujos pais adotam a estratégia de *Nana, nenê* elimina a mamada do meio da madrugada e o bebê começa a dormir oito horas por noite. Os oito ciclos são reduzidos para sete. Seu bebê, porém, não estará reduzindo o consumo calórico, apenas reorganizando os momentos em que ingere as calorias. Ele tomará mais leite durante os momentos de alimentação diurnos, em especial na primeira mamada da manhã.

Caso você esteja se perguntando por quantas horas seu bebê consegue dormir durante a noite sem precisar ser alimentado de novo, conheça este princípio geral: às 5 semanas de vida, a maioria dos bebês consegue estender o sono noturno na proporção de uma hora por semana. O bebê saudável de 5 semanas pode, em média, dormir cinco horas seguidas à noite. O bebê de 7 semanas costuma conseguir dormir sete horas seguidas à noite.

Ajuste da rotina do bebê após a segunda fusão: depois que o bebê funde a mamada do "meio da madrugada", a mãe precisará fazer alguns ajustes na rotina diurna. Antes de o bebê dormir a noite toda, a mãe o alimentava a cada três horas, período que se encaixa perfeitamente numa rotina de 24 horas. Contudo, agora que o bebê dorme a noite inteira, parece que a matemática não funciona tão bem com sete mamadas. Precisamos trabalhar com os seguintes números: 24 horas *menos* 8 horas de sono, restam 16 horas para encaixar sete mamadas ao longo do dia. Se elas forem divididas igualmente, ficam a cada duas horas e meia. Mas parece que estamos retrocedendo. Que mãe deseja fazer isso?

No entanto, há momentos em que a mãe deve alimentar num intervalo menor do que duas horas e meia. Façamos uma breve digressão para analisar estes exemplos:

- Por causa da agenda ocupada, muitas mães que amamentam experimentam uma diminuição da oferta de leite, nos aspectos quantitativo e qualitativo, durante a mamada do fim da tarde (16h - 18h). Como consequência, podem precisar oferecer a mamada do início da noite duas horas depois da anterior.
- Os picos de crescimento também exigem mamadas antes do normal.

• Quando a mamada do fim da noite cai entre 20h30 e meia--noite, algumas mães alimentam o bebê às 20h30 e depois às 22h30 mais uma vez. A decisão de alimentar depois de duas horas é de ordem prática: permite que a mãe durma mais cedo sem incomodar o sono noturno do bebê.

Voltemos agora para o desafio de tempo associado à segunda fusão. A mãe tem dezesseis horas com as quais trabalhar e precisa encaixar sete mamadas. Sugerimos o seguinte:

Primeiro: *decida o horário da primeira mamada da manhã.* Você vai manter a hora original de alimentação pela manhã ou definirá um horário diferente? As duas opções são válidas, mas é preciso tomar uma decisão. Se você começar a mamada da manhã mais tarde do que de costume, acabará empurrando a mamada de tarde da noite para meia-noite. É isso mesmo que você quer?

Segundo: a partir do que você decidir, *agende sete mamadas*, desde a primeira da manhã até tarde da noite.

Terceiro: *lembre-se do princípio da última e da primeira mamada* explicitado anteriormente. Quando estiver reorganizando a rotina do bebê, a mãe deve encaixar os outros ciclos de comer – ficar acordado – dormir entre a primeira mamada da manhã e a última antes de dormir. No entanto, os cinco ciclos não precisam ter a mesma duração (e provavelmente não terão); alguns serão mais longos e outros mais curtos. Cada mãe deve determinar o que funciona melhor para o bebê e para ela.

Aqui está um exemplo de agenda depois da segunda fusão:

EXEMPLO DE AGENDA APÓS A SEGUNDA FUSÃO SEMANAS 7 A 10	*Atividades*
1. Início da manhã 6h30 – 7h	1. Dar de mamar, trocar fralda e fazer higiene 2. Hora de ficar acordado 3. Hora de dormir: soneca
2. Meio da manhã 9h30	1. Dar de mamar, trocar fralda e fazer higiene 2. Hora de ficar acordado 3. Hora de dormir: soneca
3. Início da tarde 12h30	1. Dar de mamar, trocar fralda e fazer higiene 2. Hora de ficar acordado 3. Hora de dormir: soneca
4. Meio da tarde 15h30	1. Dar de mamar, trocar fralda e fazer higiene 2. Hora de ficar acordado 3. Hora de dormir: soneca
5. Fim da tarde 17h30 – 18h	1. Dar de mamar, trocar fralda e fazer higiene 2. Hora de ficar acordado 3. Hora de dormir: soneca
6. Início da noite 20h – 20h30	1. Dar de mamar, trocar fralda e fazer higiene 2. Hora de dormir: soneca
7. Tarde da noite 22h30	1. Dar de mamar, trocar fralda e colocar o bebê para dormir a noite toda.

Terceira fusão: entre 12 e 15 semanas

É nessa época que a maioria dos bebês cujos pais adotam a estratégia de *Nana, nenê* elimina a mamada de tarde da noite e começa a dormir de dez a doze horas. (O intervalo de dez a doze horas reflete as necessidade únicas de sono de cada bebê.) Quando isso acontece, os sete ciclos são reduzidos para seis. A primeira mamada da manhã continua a mesma, a menos que a mãe deseje mudá-la para sua conveniência ou para o benefício geral da família. A última mamada da noite será mais ou menos previsível, pois ocorrerá de dez a doze horas antes da primeira mamada da manhã.

A mãe que amamenta, porém, deve ficar atenta a sua produção de leite. Deixar o bebê dormir mais de dez horas à noite pode não proporcionar estimulação suficiente num período de 24 horas para manter uma produção adequada. Embora isso não se aplique a todas as mães, pode causar impacto sobre algumas, em especial nas que têm 30 anos ou mais. Portanto, se você amamenta, recomendamos que continue a amamentar por volta das 22 ou 23 horas. Algumas mães mantêm essa mamada pelos próximos quatro a cinco meses.

Ajuste da rotina do bebê após a terceira fusão: presumindo que o bebê durma onze horas por noite e mame pela primeira vez às 7 e pela última às 20 horas, a mãe deve agendar quatro mamadas adicionais ao longo do dia. Os períodos em que o bebê fica acordado são significativamente mais longos, ao passo que a duração das sonecas pode não aumentar em relação à fase anterior, já que o bebê dorme bastante durante a noite. Essa nova etapa continua até o bebê começar a ingerir alimentos sólidos, em algum momento entre os 4 e 6 meses de idade.

EXEMPLO DE AGENDA APÓS A TERCEIRA FUSÃO **SEMANAS 12 A 15** *Atividades*	
1. Início da manhã 6h30 - 7h	1. Hora de comer 2. Hora de ficar acordado 3. Hora de dormir: soneca
2. Meio da manhã 9h30	1. Hora de comer 2. Hora de ficar acordado 3. Hora de dormir: soneca
3. Início da tarde 12h30	1. Hora de comer 2. Hora de ficar acordado 3. Hora de dormir: soneca
4. Meio da tarde 15h30	1. Hora de comer 2. Hora de ficar acordado 3. Hora de dormir: soneca
5. Fim da tarde 17h30 - 18h	1. Hora de comer 2. Hora de ficar acordado 3. Hora de dormir: soneca
6. Início da noite 20h30 - 21h	1. Hora de comer e colocar o bebê para dormir a noite toda.

Quarta fusão: entre 16 e 24 semanas

É nessa época que muitos dos bebês cujos pais adotam a estratégia de *Nana, nenê* começam a estender sua hora de ficar acordado pela manhã, fundindo a mamada do começo da manhã com a do meio da manhã. Essa fusão reduz os seis ciclos de comer — ficar acordado — dormir para cinco. O resultado é que passa a haver apenas um ciclo de comer — ficar acordado — dormir entre o desjejum e o almoço (embora este último possa ser adiantado em pelo menos meia hora). Esse também é o momento próximo à introdução de alimentos sólidos, processo que tem o potencial de impactar o tempo das atividades dentro dos ciclos de comer — ficar acordado — dormir. (Uma explicação completa de como a introdução de alimentos sólidos pode impactar os ciclos de comer — ficar acordado — dormir e o sono noturno se encontra em *Além do nana nenê*).

EXEMPLO DE AGENDA APÓS A QUARTA FUSÃO **SEMANAS 16 A 24** *Atividades*	
1. Início da manhã 7h	1. Hora de comer 2. Hora de ficar acordado 3. Hora de dormir: soneca
2. Fim da manhã	1. Hora de comer 2. Hora de ficar acordado 3. Hora de dormir: soneca
3. Início da tarde	1. Hora de comer 2. Hora de ficar acordado 3. Hora de dormir: soneca
4. Fim da tarde	1. Hora de comer 2. Hora de ficar acordado*
5. Início da noite 20h - 20h30	1. Hora de ficar acordado 2. Dar a refeição líquida e colocar o bebê para dormir a noite toda.**

* Note que a hora de ficar acordado do fim da tarde se estende até o começo da noite, concluindo com a mamada antes de dormir. Embora não haja uma soneca completa entre os dois momentos de alimentação, o bebê pode, às vezes, cair no sono por trinta a quarenta minutos, dependendo de quando o ciclo do fim da tarde começou. Isso é chamado de "cochilo".

** Possível "mamada dos sonhos" às 23h para a mãe que amamenta.

Observação sobre a "mamada dos sonhos": é comum as mães perguntarem se existe diferença entre a mamada de tarde da noite e a "mamada dos sonhos", já que ambas acontecem mais ou menos na mesma hora. Sim, há uma diferença! A mamada que acontece tarde da noite fornece a nutrição necessária para o bebê e faz parte da rotina dele durante os primeiros três meses. A "mamada dos sonhos" vem depois. Ela não é oferecida porque o bebê necessita das calorias, mas para ajudar a mãe que amamenta a manter a produção de leite. Nem todas as mães oferecem uma "mamada dos sonhos", mas a necessidade aumenta à medida que a idade materna chega aos trinta e poucos anos.

Quinta fusão: entre 24 e 39 semanas

Entre os 5 e 7 meses, uma transição parcial nos ciclos de comer — ficar acordado — dormir começa a acontecer, por causa da introdução de alimentos sólidos e do surgimento dos cochilos (sonecas de transição, mais curtas, mas ainda necessárias). Acontece quando o bebê não precisa mais do sono adicional de outra soneca completa de tarde, mas ainda não está totalmente pronto para ficar sem um descanso curto entre a soneca do meio da tarde e o sono noturno. Os cochilos duram de trinta minutos a uma hora e acontecem no final da tarde, em geral por volta da hora do jantar. A passagem de uma soneca completa para o cochilo não elimina o ciclo de comer — ficar acordado — dormir, mas avança a rotina do bebê nessa direção.

Os bebês cujos pais seguem a AOP deixam de fazer a terceira soneca e passam a tirar apenas um cochilo entre 24 e 39 semanas. Esse grande intervalo representa uma imensa variação entre bebês, mas é uma extensão normal de comportamento previsível. Trata-se apenas de um fato único da individualidade de que alguns bebês deixam a soneca completa e a substituem por um cochilo bem cedo, enquanto outros continuam a tirar três sonecas por dia até o sétimo mês. Quando seu bebê eliminar a terceira soneca completa, os ciclos de comer — ficar acordado — dormir podem variar de três horas e meia a quatro horas e meia a cada dia. Isso dependerá das necessidades únicas do bebê e da hora do dia.

EXEMPLO DE AGENDA APÓS A QUINTA FUSÃO SEMANAS 24 A 39 COM COCHILO *Atividades*	
1. Manhã 7h	1. Hora de comer 2. Hora de ficar acordado 3. Hora de dormir: soneca
2. Fim da manhã	1. Hora de comer 2. Hora de ficar acordado 3. Hora de dormir: soneca
3. Meio da tarde	1. Hora de comer 2. Hora de ficar acordado 3. Hora de dormir: cochilo*
4. Fim da tarde/jantar	1. Hora de comer 2. Hora de ficar acordado
5. Início da noite 20h - 20h30	1. Hora de ficar acordado no início da noite 2. Dar a refeição líquida e colocar o bebê para dormir a noite toda.

*O cochilo costuma acontecer por volta da hora do jantar (entre 17h e 18h).

Sexta fusão: entre 28 e 40 semanas

Em algum momento entre as semanas relacionadas, a maioria dos bebês cujos pais adotam os princípios de *Nana, nenê* elimina a soneca e reduz os cinco ciclos de comer — ficar acordado — dormir para quatro. Isso exige mais ajustes durante o dia. Os quatro ciclos de comer — ficar acordado — dormir incluem desjejum, almoço, jantar e uma refeição líquida antes de dormir.

Mais uma vez, observe a grande variação de semanas que separa a *quinta e a sexta fusão*. Mencionamos anteriormente as tendências de sono noturno de Cory e Anna. Cory eliminou o cochilo com 31 semanas e passou para a *sétima fusão*. Já Anna continuou a cochilar até as 39 semanas. Foi só então que ela passou para a *sétima fusão*. São dois bebês, reagindo a suas necessidades individuais de sono, mas ambos caindo dentro do período "normal" para eliminar o cochilo. O exemplo de agenda fica assim:

EXEMPLO DE AGENDA APÓS A SEXTA FUSÃO SEMANAS 28 A 40 SEM COCHILO *Atividades*	
1. Manhã 7h – 8h	1. Hora de comer 2. Hora de ficar acordado 3. Hora de dormir: soneca
2. Metade do dia	1. Hora de comer 2. Hora de ficar acordado 3. Hora de dormir: soneca
3. Fim da tarde	1. Hora de comer* 2. Hora de ficar acordado 3. Jantar com a família** 4. Hora de ficar acordado no início da noite
4. Hora do sono noturno 20h	1. Dar a refeição líquida e colocar o bebê para dormir a noite toda.

* O bebê come cereal, legumes e verduras ou frutas nesta refeição.

** O bebê participa da refeição familiar com alimentos leves para comer com as mãos. (É mais um lanche do que uma refeição completa.)

Sétima fusão: entre 46 e 52 semanas

É a partir desse momento que o bebê para de receber uma refeição líquida antes do sono noturno. Ele pode tomar uma xícara de leite artificial, leite materno ou suco, mas não é necessário mais dar uma mamadeira cheia de leite. Parabéns! Você fez uma longa jornada desde os dias dos nove ciclos de comer — ficar acordado — dormir. Sua nova agenda ficará mais ou menos assim:

EXEMPLO DE AGENDA APÓS A SÉTIMA FUSÃO SEMANAS 46 A 52 *Atividades*	
1. Manhã 7h	1. Hora de comer 2. Hora de ficar acordado 3. Hora de dormir: soneca
2. Metade do dia	1. Hora de comer 2. Hora de ficar acordado 3. Hora de dormir: soneca
3. Fim da tarde 16h – 17h	1. Lanche depois da soneca 2. Hora de ficar acordado 3. Hora de jantar com a família 4. Hora de ficar acordado no início da noite
4. Hora do sono noturno 20h	1. Colocar para dormir a noite inteira

Orientações específicas sobre a hora de comer e de ficar acordado

Embora tenhamos resumido um ano de transições, esta seção volta a atenção do leitor para as primeiras 12 semanas da vida do bebê e oferece lembretes específicos ligados à alimentação, hora de ficar acordado e aos momentos de soneca.

A alimentação nas primeiras doze semanas

Primeiro: durante a primeira semana, lembre-se sempre de que os recém-nascidos são dorminhocos e bebês sonolentos têm a tendência de fazer lanchinhos: mamar um pouco agora e mais um pouco depois. Uma série de lanches não forma uma refeição completa. O bebê precisa se alimentar e a mãe que amamenta necessita da estimulação proveniente das mamadas completas.

Segundo: a duração do tempo acordado do recém-nascido, incluindo mamar, arrotar, trocar fralda, ganhar abraços e beijos, será de aproximadamente trinta minutos. O sono vem depois da mamada e ocupa a próxima uma hora e meia ou as duas horas seguintes. Juntando tudo, o ciclo de comer — ficar acordado — dormir tem a média de duas horas e meia até se repetir.

Terceiro: por volta da terceira semana após o parto, o bebê começa a aumentar o período em que fica acordado depois das mamadas. Em algum momento, esse tempo se estenderá por trinta minutos além da hora de comer. Em geral, a hora de ficar acordado é sucedida por uma soneca de uma hora e meia a duas horas.

Quarto: às 6 semanas de idade, as mamadas ainda duram por volta de trinta minutos e os períodos de ficar acordado começam a aumentar para trinta a cinquenta minutos, seguidos por uma soneca de uma hora e meia a duas horas. Às 12 semanas, a hora de ficar acordado pode durar sessenta minutos ou até um pouquinho mais.

Como fazer as fusões ou eliminar uma mamada

Os bebês "eliminam mamadas" porque passam a dormir mais ou por ficarem acordados mais tempo. É preciso lembrar que o ato de "eliminar uma mamada" faz parte do processo mais amplo de fusão e exige alguns ajustes na rotina diária do bebê. No papel, conseguimos fazer tudo funcionar, mas, na prática, os bebês necessitam de ajuda com frequência. É então que a sabedoria coletiva das mães experientes pode ser uma ajuda providencial. Conheça algumas sugestões aprovadas pelo tempo:

1. Eliminar a mamada do meio da madrugada

Entre a sétima e a décima semana, a maioria dos bebês cujos pais adotam a AOP elimina a mamada do meio da madrugada por conta própria. Em determinada noite, eles simplesmente dormem até a manhã seguinte. Outros bebês aumentam aos poucos o intervalo entre a mamada de tarde da noite (das 22h30 às 23h) e a mamada do meio da madrugada, até ela se tornar a primeira mamada da manhã.

No entanto, há ocasiões em que a mãe está de acordo com a ideia de oito horas de sono e deseja fazer o ajuste, mas o bebê não quer fazer a parte dele. Ele tem a capacidade e a habilidade, mas, às vezes, necessita de um pequeno empurrão porque seu relógio biológico está parado. Você saberá que esse é o caso se ele acorda na mesma hora a cada noite, com variação de até cinco minutos, por três noites consecutivas.

Há algumas formas de resolver isso. *Uma é permitir ao bebê se acalmar sem a intervenção direta da mãe e do pai.* Além de monitorar e conferir se está tudo bem com o bebê periodicamente — talvez fazendo-lhe carinho nas costas para deixá-lo saber que você está ali com ele — deixe que o bebê aprenda a se acalmar. Normalmente, depois de três a quatro noites com um pouco de choro, o relógio biológico se ajusta e o bebê começa a dormir até de manhã.

Um *segundo método é a mãe passar a última mamada da noite para mais perto de 23h ou meia-noite.* Assim que o bebê estiver dormindo até a primeira mamada da manhã, a mãe pode gradualmente retroceder a mamada de tarde da noite em intervalos de quinze a trinta minutos, até que esse momento de alimentação aconteça na hora em que ela deseja.

Um *terceiro método*, chamado de *escorregador ao contrário*, é o último recurso. Funciona assim: se seu bebê acorda sempre às 2 da manhã, antecipe esse ritual noturno acordando-o e o alimentando de quinze a trinta minutos antes — por volta das 1h30. Se ele dormir até o horário normal de despertar, depois de alguns dias tente adiantar o horário mais meia hora, para 1 da manhã. Você pode continuar esse movimento contrário até a mamada de tarde da noite ocorrer num horário confortável para você. A forma de saber se você está progredindo é se o bebê consegue dormir do fim da última mamada até a primeira mamada do dia seguinte.

Quando estiver trabalhando para estabelecer uma nova rotina de sono para o bebê, seja firme. Você e o bebê alcançarão a meta e ambos se sentirão melhores quando isso acontecer.

2. Eliminar a mamada de tarde da noite

Esse corte ocorre por volta dos 3 meses e costuma ser a mamada mais difícil de eliminar. Depois que o bebê se acostuma a dormir a noite inteira, alguns pais ficam relutantes em eliminar a mamada que ocorre tarde da noite, com medo de que ele acorde no meio da madrugada. Se seu bebê estiver demonstrando falta de interesse nessa mamada ou dificuldade de acordar, esses são bons indicadores de que já está pronto para ficar sem ela.

A forma de eliminar essa mamada é ajustar aos poucos os outros horários de alimentação. Por exemplo, se a mamada do final da tarde ocorre por volta das 18 horas, tente alimentar o bebê de novo às 21h30 por alguns dias. Então adiante para 21h15 ou 21 horas durante os próximos dois ou três dias. Continue ajustando gradualmente o tempo até chegar à hora desejada para o bebê dormir à noite. Com frequência, a eliminação da mamada que ocorre tarde da noite fará os dois últimos momentos de alimentação ocorrerem com menos de três horas de diferença. Isso não deve ser um problema, contanto que a última mamada do dia seja a prioridade.

Orientações sobre o sono no primeiro mês

Quando você deve acordar o recém-nascido e quando deve deixá-lo dormir? Se você precisar acordar seu bebê durante o dia para evitar que ele durma mais do que o ciclo de três horas, faça-o. Esse tipo de intervenção dos pais é necessário para ajudar a estabilizar o metabolismo digestório do bebê e para ajudá-lo a organizar seus padrões de sono numa rotina previsível. A única exceção a acordar o bebê ocorre nas mamadas de tarde da noite e do meio da madrugada. Durante o primeiro mês, o bebê pode dar um intervalo de até quatro horas seguidas para a mãe e o pai à noite, mas não o deixe dormir mais do que isso. Acorde o bebê, alimente-o e o coloque para dormir logo em seguida. O recém-nascido com menos de quatro semanas de vida é novo demais para passar muito tempo sem comer.

A hora de ficar acordado nos primeiros três meses

Durante as primeiras duas semanas de vida, seu bebê não terá uma hora de ficar acordado separada da hora de comer. A hora de comer do bebê é o momento em que ele fica acordado. Esse tempo é tudo que o recém-nascido consegue suportar antes que o sono tome conta de seu corpinho.

Em geral, na segunda ou na terceira semana, a maioria dos bebês entra numa rotina previsível de comer – ficar acordado – dormir. Quando isso acontece, você e seu bebê chegam a outro patamar de sucesso. Depois de passar pelas primeiras semanas, cheias de novas experiências, a vida começa a se estabilizar à medida que a rotina do bebê toma forma. Como fica a rotina de comer – ficar acordado – dormir nas duas primeiras semanas da vida do bebê?

Do nascimento a 2 semanas

Hora de comer/ Hora de ficar acordado	**Sono**
30 – 50 minutos	1 ½ – 2 horas

2 a 3 horas

Por favor, observe que a hora de ficar acordado está em cinza. Isso reflete a verdade de que, durante a primeira semana, a hora de comer é basicamente todo o tempo em que o bebê fica acordado. Os trinta a cinquenta minutos incluem comer, trocar fralda, arrotar e outros cuidados necessários com a higiene, isso sem contar os abraços e beijos. Normalmente, o sono vem depois da mamada e deve durar de uma hora e meia a duas horas. Portanto, todo o ciclo de comer — ficar acordado — dormir varia entre duas e três horas, antes de começar de novo. Observe agora a pequena mudança entre a terceira e a quinta semanas:

3 a 5 semanas

Hora de comer/ Hora de ficar acordado	Sono
30 – 60 minutos	*1 ½ – 2 horas*
2½ a 3 horas	

Por volta da terceira semana, você começará a notar que as horas de ficar acordado se tornam uma atividade distinta e começam a durar até trinta minutos. Não estamos dizendo que seu bebê ficará acordado por trinta minutos, mas que esse período pode durar até trinta minutos, além da mamada. A hora de ficar acordado costuma ser sucedida por uma soneca de uma hora e meia a duas horas. Com a consolidação de hábitos saudáveis de sono, acompanhados por períodos mais longos acordado, começa a surgir um novo nível de alerta que exige reflexão e planejamento adicionais.

Ao se aproximar da sexta semana, a hora de ficar acordado de seu bebê ficará bem distinta e a duração da hora de comer, mais precisa.

6 a 12 semanas

Hora de comer	Hora de ficar acordado	Sono
30 minutos	*30 – 50 minutos*	*1 ½ – 2 horas*
	2½ a 3½ horas	

Os períodos de ficar acordado são sucedidos por uma soneca de uma hora e meia a duas horas, dependendo das necessidades do seu bebê. Por volta da décima segunda semana, a hora de ficar acordado pode durar sessenta minutos ou mais. Nessa época, seu bebê já deve estar dormindo a noite toda; portanto, você estará oferecendo uma mamada a menos.

Algumas orientações gerais: analise o contexto

Contexto! A compreensão das consequências práticas dessa palavra será uma ferramenta valiosa no processo de criar seus filhos. Observar o contexto do momento permitirá que você tome uma decisão baseada no que é melhor, dadas as circunstâncias atuais. Responder ao contexto de uma situação permite que a mãe ou o pai se concentre na reação correta no curto prazo, sem comprometer os objetivos de longo prazo. Veja alguns exemplos de contexto e flexibilidade da AOP:

1. O bebê de duas semanas estava dormindo tranquilo até o irmão mais velho decidir lhe fazer uma visitinha. O irmão conta para a mãe que o bebê está acordado e chorando. Ainda faltam trinta minutos para a mamada seguinte, então o que fazer? Ela pode tentar acalmar o bebê fazendo carinho em suas costas ou pegando-o no colo. Colocá-lo na cadeirinha de balanço é uma segunda opção e a terceira é alimentá-lo e reorganizar o próximo ciclo de comer — ficar acordado — dormir. Não se esqueça de instruir o irmão mais velho a pedir permissão para a mãe antes de visitar o bebê dormindo.

2. Você está num avião e sua bebezinha começa a chorar alto, incomodada. O conflito mental começa: ela comeu há pouco mais de uma hora. O que você deve fazer? A solução é considerar o bem-estar dos outros. Não deixe que a rotina de seu bebê se sobreponha

à consideração pelas outras pessoas. Se todas as tentativas de brincar e entreter a pequena falharem, vá em frente e alimente-a, pois o contexto da situação exige a suspensão da rotina normal. Depois que chegar ao destino, faça os ajustes necessários aos horários de sua filha. É para isso que serve a flexibilidade!

3. Você acabou de alimentar seu filho antes de deixá-lo no berçário da igreja e planeja voltar depois de uma hora e meia. Você deve deixar uma mamadeira de leite materno ou artificial, para caso de necessidade? Sim, sem dúvida! As babás e pessoas que trabalham em berçários prestam um serviço valioso aos pais. Como o cuidado delas se estende a outras crianças, não devem ser obrigadas a seguir estritamente sua rotina. Se seu bebê ficar irrequieto, o cuidador deve ter a opção de oferecer uma mamadeira. Mamar antes da hora algumas vezes por semana não arruinará a rotina bem consolidada do pequeno.

4. Você está dirigindo há quatro horas e chegou a hora de sua filha mamar, mas ela está dormindo e só restam quarenta minutos de viagem. Você pode escolher parar o carro no acostamento e alimentar a nenê ou esperar até chegar ao destino e ajustar o próximo ciclo de comer — ficar acordado — dormir.

A maior parte dos dias será rotineira e previsível, mas haverá momentos em que será necessário ter flexibilidade por causa de circunstâncias incomuns ou inesperadas. A vida será menos tensa se os pais levarem em conta o contexto da situação e reagirem de maneira apropriada para o benefício de todos. A consideração dos pais em sua forma de agir determina, com frequência, se a criança será uma bênção para os outros ou uma fonte de leve irritação.

Resumo

Sua forma de satisfazer as necessidades de comer, ficar acordado e dormir de seu bebê revela muito sobre sua filosofia geral de criação de filhos. Aprender a estabelecer uma rotina para o bebê e saber quando os ajustes para as transições de crescimento são necessários fazem parte de ser "sensível às necessidades". No âmago do plano da AOP se encontram três atividades básicas do bebê: ele come, fica acordado e dorme. Combinar as necessidades do bebê com o cuidado dos pais faz parte do processo de aprender a amar seu bebê de forma proativa.

6

Hora de ficar acordado e hora de dormir

À MEDIDA QUE O BEBÊ AVANÇA dos primeiros dias de vida para a marca dos 6 meses, transformações sutis de crescimento influenciam continuamente os vários ciclos diurnos de comer – ficar acordado – dormir. É difícil mensurar essas mudanças significativas de crescimento num dado momento, mas elas estão presentes, trabalhando nos bastidores e impulsionando o bebê para frente. É possível que os pais não percebam as mudanças visuais dia a dia, mas eles as influenciam, em especial durante as horas em que o bebê fica acordado.

As atividades da hora de ficar acordado nos primeiros meses de vida devem ser compreendidas ao analisar a mente em desenvolvimento do bebê e sua necessidade de estímulo adequado dos sentidos. Os momentos de ficar acordado devem envolver a interação entre mãe, pai e bebê. Entretanto, também há ocasiões em que o bebê fica sozinho, totalmente absorvido em seu mundo de descobertas. Intimamente ligado à hora de ficar acordado está um padrão saudável de sonecas. Abordaremos as sonecas e os desafios relacionados a isso na segunda metade deste capítulo, mas, antes de colocar o bebê para dormir, falaremos sobre as várias atividades que devem fazer parte dos momentos em que ele fica acordado.

Tempo acordado com os pais

Comer

Não importa se a refeição líquida é composta por leite materno ou artificial, a mãe segura o bebê enquanto o alimenta. Aproveite essas oportunidades rotineiras para olhar nos olhos dele, conversar com ele e fazer carinho suave em seus braços, sua cabeça e seu rosto. O toque é importante, pois é a primeira linguagem dos recém-nascidos, algo de que eles necessitam e pelo qual anseiam. Ser segurado transmite segurança, diz que o novo mundo em que ele habita é seguro. Embora o nenê não precise ficar no colo o tempo inteiro nem ter contato pele a pele constante com a mãe, necessita, sim, ser carregado no colo pelos muitos membros de sua comunidade de amor, inclusive pelo pai, por irmãos e irmãs, pela avó e pelo avô. Quanto mais mãos comunicam amor por meio do toque, mais a criança se sente segura.

Cantar

O bebê reage à voz dos pais pouco tempo depois do nascimento. Durante o período em que o bebê está acordado, os pais devem aproveitar para conversar e cantar para o bebê, lembrando que o aprendizado acontece o tempo inteiro. Um simples som de "lá lá lá" feito pelos pais terá significado relacional para o bebê, muito embora as palavras não façam sentido. As crianças conseguem memorizar palavras muito antes de serem capazes de cantar. Isso significa que nunca é cedo demais para começar a trabalhar com seu bebê, ensinando-o as várias formas de usar as palavras.

Ler

Da mesma forma, nunca é cedo demais para ler para seu bebê ou lhe mostrar livros com ilustrações coloridas (em especial livros de pano, plástico e outros materiais duráveis que o bebê pode explorar por conta própria). Seu pequenino apreciará ouvir o som e as inflexões de sua voz.

Dar banho

Essa é outra atividade agradável da rotina para seu bebê. A mãe ou o pai podem cantar, conversar e compartilhar seus pensamentos mais íntimos, ou apenas se divertir espalhando água e fazendo barulho com o patinho de borracha do bebê!

Brincar

Embora sorrir, fazer ruídos e dar risadinhas sejam parte das brincadeiras do bebê, a melhor forma de aproveitar o tempo de ficar acordado é ganhar carinho da mãe, do pai, de irmãos ou dos avós. O sentimento de amor e segurança que esse ato desperta não pode ser substituído.

Passear

O bebê não sabe andar, mas seus pais, sim! Sair para passear no carrinho e respirar um pouco de ar fresco é muito divertido para o bebê e a caminhada é um ótimo exercício para a mãe e o pai. Os carrinhos que posicionam o bebê olhando para a paisagem proporcionam uma excelente oportunidade de aprendizado, porque ele consegue ver as coisas a seu redor. Seu cérebro absorve os novos cenários, sons, as cores e a beleza do meio ambiente.

O canguru com duas alças e encaixe frontal é outra opção. Esse tipo de canguru existe em vários estilos, formatos, tecidos e cores. É uma forma fácil de levar o bebê em caminhadas, trilhas ou mesmo para passear por uma loja. Procure um que dê sustentação completa ao bebê nas pernas, no bumbum e nas costas, que distribua o peso da criança igualmente sobre seus quadris e que seja sustentado nos dois ombros. Quando estiver muito frio, quente ou úmido para caminhar ao ar livre, um *shopping center* pode ser um bom local para explorar e passar o tempo.

Desde o início da década de 1990, temos expressado nossa preocupação quanto aos riscos associados ao *sling* lateral (os *slings laterais* são diferentes dos cangurus). Há muitas formas seguras de manter seu bebê próximo a você, mas quando o bebê fica encurvado no fundo do *sling* lateral, como se estivesse deitado em uma rede, é perigoso. O número cada vez maior de bebês sufocados levou os fabricantes a solicitarem a devolução de produtos e impulsionou a U.S. Product Safety Comission [Comissão norte-americana de segurança dos produtos] a fazer advertências públicas aos pais.

> A comissão observou estes dois perigos: primeiro, o tecido pressiona o nariz e a boca do bebê, bloqueando sua respiração e isso pode levar ao sufocamento. Segundo, quando um bebê novo, que ainda não possui os músculos do pescoço fortalecidos, é curvado numa posição semelhante a um "c", sua cabeça naturalmente fica comprimida contra o tórax da mãe. Isso restringe, em potencial, sua habilidade de respirar e mexer a cabeça, chutar ou chorar pedindo ajuda.

Tempo acordado sozinho

Quando as novas mães se reúnem para conversar e exibir seus pequeninos, é comum ouvir opiniões divergentes em relação a muitos assuntos, inclusive sobre a melhor forma de administrar o dia do bebê. O planejamento de um tempo para o bebê ficar sozinho durante o dia é um assunto que evoca opiniões variadas. A maioria dos pais com um bebê em casa tende a não pensar sobre isso, mas um pouco de tempo monitorado a sós proporciona oportunidades críticas de aprendizado. Quando falamos em "a sós", não queremos dizer que o bebê ficará fora do campo de visão, mas, sim, que ele terá a oportunidade de investigar seu mundo sem ser entretido o tempo inteiro. Como a mãe pode fazer isso? Mães experientes que adotam a estratégia de *Nana, nenê* dirão que esse é um processo gradual, que começa com algo tão básico quanto uma cadeira de descanso.

Cadeira de descanso

Esse é um equipamento prático, especialmente útil durante os primeiros meses da vida do bebê. Para esclarecer, o termo "cadeira de descanso" não equivale à cadeirinha para automóvel. Estamos nos referindo a uma cadeira básica para bebês, como as produzidas pela Fisher-Price® (a exemplo dos modelos "Meus bichinhos" e "Hora do soninho"). Esse estilo é portátil e eleva o bebê o suficiente para ver seu pequeno mundo. Os pais podem encontrar lugar para a cadeira de descanso em qualquer parte da casa. Nos primeiros dias, o bebê pode ser colocado para dormir na cadeirinha, enrolado num cueiro. À medida que ele ficar mais alerta, pode permanecer perto da mãe e do pai na hora das refeições, ou ser colocado em frente a uma porta de vidro para ver o mundo lá fora.

Cadeira de balanço

Essa cadeira, também conhecida como *bouncer*, é projetada para bebês que conseguem ficar com a cabeça em pé sem apoio, em geral a partir de 3 a 4 meses. É fácil transportá-la para onde a mãe e o pai estão. Se a mãe estiver na cozinha, o bebê pode observá-la preparar o jantar. Se ela estiver dobrando a roupa, o bebê ficará feliz em ver essa atividade e fazer companhia. A cadeira de balanço também é ótima para bebês que sofrem de uma forma leve de refluxo. Deixar o bebê na vertical por dez a quinze minutos depois das mamadas ajuda o alimento a descer e minimiza os episódios de regurgitação. Não se esqueça de prender as faixas de segurança e nunca deixe o bebê sem vigilância. Assim como deve ser feito com todos os equipamentos para bebês, separe tempo para ler as instruções de segurança.

Tempo de bruços

Colocar o bebê de bruços sobre um tapete de atividades pode ser incluído em sua rotina assim que ele conseguir manter a cabeça para cima. Em geral, isso acontece entre a décima segunda e a décima sexta semana de vida. O tempo de bruços é um conceito relativamente novo no cuidado com recém-nascidos e se transformou numa prática em decorrência da campanha "Dormir de barriga para cima é mais seguro", de prevenção à síndrome da morte súbita.

Ao fazer as contas, logo se descobre que os bebês de hoje passam de doze a dezesseis horas por dia apoiados pelas costas. Compare com os bebês de uma geração atrás, que dormiam de doze a dezesseis horas de barriga para baixo. O resultado foi que pediatras e médicos de família começaram a perceber um aumento significativo da *plagiocefalia*, o termo médico para o achatamento da cabeça do bebê. Essa condição resulta do fato de passar tempo demais com a parte de trás da cabeça apoiada no colchão. Também foram observados atrasos no fortalecimento dos músculos do pescoço e das pernas, necessários para levantar a cabeça, rolar e engatinhar, além de atrasos na coordenação motora fina. O tempo de bruços se transformou numa medida preventiva para corrigir a deficiência da posição supina durante o sono.

O momento ideal para o tempo de bruços é logo depois da mamada, quando o bebê está alerta e feliz, mas não antes de uma soneca, quando está cansado e pode cair no sono. Você pode deitá-lo num tapete de atividades ou no cercadinho. Um dos lugares preferidos para o bebê é passar o tempo de bruços em cima do peito da mãe ou do pai. Faça movimentos suaves com os braços do bebê enquanto conversa com ele e sorri. Enquanto você interage com o bebê, ele responde levantando a cabeça e olhando em sua direção. O tempo de bruços é uma atividade da hora de ficar acordado que você pode planejar com facilidade e incluir na rotina da criança. Na verdade, trata-se de algo que você deve planejar para o bem-estar dela. A maioria dos pediatras recomenda trinta minutos cumulativos (ou mais) de tempo de bruços por dia.

Balanço para bebês

Os balanços para bebês evoluíram muito desde que compramos nosso primeiro há mais de quarenta anos. Naquela época, eles só faziam uma coisa: balançar o bebê para frente e para trás. Hoje, existe quase todo tipo de recursos que se possa imaginar: velocidades múltiplas, várias posições de reclinar e balanços que tocam música ao se movimentar. A opção de reclinar funciona bem se você usar o balanço logo depois de alimentar o bebê, já que isso tira a pressão do estômago cheio. Colocar o bebê no balanço permite que ele observe o que está se passando ao redor, mas não caia no hábito de deixá-lo pegar no sono dentro do balanço. Quando o bebê está incomodado, tende a se acalmar melhor com o movimento mais forte e veloz. A velocidade mais branda é propícia para momentos em que ele está tranquilo, relaxado. (O capítulo 9 trata mais sobre o balanço para bebês.)

Andador

Assim que seu bebê conseguir ficar sentado e demonstrar bom controle da cabeça e do pescoço, o andador é outra atividade divertida a se tentar na hora de ficar acordado. Ele tem objetos variados para o bebê explorar, auxiliando-o na coordenação de mão e olho.

Também ajuda a fortalecer os músculos da perna à medida que o bebê empurra e se movimenta dentro do brinquedo.

Cadeira Bumbo®

Esse é o nome registrado de um produto da África do Sul (embora muitos fabricantes dos Estados Unidos façam cadeiras parecidas que recebem o nome genérico de bumbo). Seu formato único fornece o apoio correto para os bebês que estão começando a transição de apenas deitar de bruços para sentar sozinhos. Descobrimos que os bebês que se sentam na posição vertical tendem a ficar acordados por mais tempo. Quanto mais ficam acordados, mais rapidamente eles se adaptam à vida.

Embora comercializado para a idade de 3 a 4 meses, a cadeira do tipo bumbo não oferece nenhum benefício real depois que o bebê consegue ficar sentado sozinho. Além disso, a agência de proteção ao consumidor dos Estados Unidos está analisando questões de segurança ligadas a bebês que esticam as costas e escorregam dessas cadeiras. O bom senso e a advertência do fabricante orientam os pais a nunca "deixar o bebê sem supervisão ou colocar a cadeira sobre uma superfície elevada, como uma cadeira ou mesa". É melhor colocar o bumbo num tapete ou carpete, cercado por travesseiros e com objetos seguros para brincar ao alcance do bebê.

Cercadinho

Por volta das 6 semanas de vida, o bebê pode tirar proveito de passar parte de seu tempo acordado numa cadeira de balanço dentro de um cercadinho, com um móbile à vista. À medida que seu bebê crescer e começar a rolar, o cercadinho será um lugar seguro para as atividades da hora de ficar acordado, em especial quando a mãe e o pai estiverem ocupados em casa com outros filhos ou com tarefas. O cercadinho oferece uma série de benefícios enquanto o bebê cresce. Fornece um ambiente seguro para brincar e também pode ser usado como berço portátil. E o mais importante: é perfeito para criar um centro estruturado de aprendizagem durante a segunda metade do primeiro ano de vida do bebê. (Você lerá mais sobre o cercadinho no capítulo 9 e em grandes detalhes no livro *Além do nana nenê*.)

Outros recursos para a hora de ficar acordado

Gravuras

Todos os bebês nascem com um campo de visão extremamente limitado. Isso significa que eles têm dificuldade de se concentrar em objetos distantes. A ilustração pendurada na parede a dois metros parece bem embaçada para um recém-nascido. À medida que as semanas se passam, a visão do bebê melhora gradualmente e aos 2 anos de idade costuma se igualar à do adulto normal. Você pode esperar de três a quatro meses antes de acrescentar gravuras de cores fortes à decoração do quarto do bebê.

Móbiles e barra de brinquedos para o berço

Móbiles musicais ajudam o bebê a acompanhar objetos com os olhos, mas primeiro ele deve conseguir focar. Como isso ocorre por volta de 3 a 4 meses depois do nascimento, espere até essa época para colocar um móbile no berço. As barras de brinquedos para berços e objetos que balançam sobre o bebê e fazem barulho quando ele bate neles ajuda a desenvolver sua coordenação entre mão e olho. Bater é o preparo necessário para o bebê estender as mãos e segurar os objetos. Por segurança, não coloque a barra de brinquedos ou o móbile sobre o bebê depois que ele aprender a se sentar e agarrar.

Sonecas e necessidades básicas de sono

O sono adequado é parte importante da vida do bebê e continuará a ser depois do primeiro ano de vida. Os recém-nascidos tiram sonecas frequentes ao longo do dia. Isso significa que os pais podem tirar vantagem das sonecas treinando o bebê para dormir quando ele deve. Os pais não se envolvem ativamente no treinamento de sono antes das 4 semanas de vida do bebê, mas o fazem de forma passiva ao estabelecer uma boa rotina de comer – ficar acordado – dormir. Veja a seguir um resumo da hora de dormir e de ficar acordado, destacando o que os novos pais podem esperar ao longo do primeiro ano.

Recém-nascido

Os recém-nascidos podem dormir de dezessete a dezenove horas por dia, incluindo os períodos de sono entre as mamadas. Com a AOP, esse sono ocorre na forma de cinco a seis sonecas (dependendo do número de mamadas diárias). Depois de comer, quando o bebê já ficou acordado durante um período apropriado e começa a mostrar sinais de sonolência, como esfregar os olhos, bocejar ou puxar os cabelos, é hora de tirar uma soneca.

De 1 a 2 meses

Por volta da quarta semana de vida, a hora de ficar acordado começa a se manifestar, tornando-se uma atividade distinta. Às 8 semanas, já está totalmente desenvolvida. A soneca média do bebê de 2 meses é de uma hora e meia, com alguns períodos um pouco mais longos e outros um pouco mais curtos. Ao final desse período, de 75% a 80% dos bebês criados segundo *Nana, nenê* eliminam a mamada da madrugada e começam a dormir de sete a oito horas seguidas por noite. Os outros 20% conseguirão dormir a noite inteira dentro das próximas semanas.

De 3 a 5 meses

Aos 3 meses, a duração da soneca do bebê começa a oscilar um pouco. A maioria delas fica entre uma hora e meia e duas horas. É durante essa etapa do crescimento que o bebê pode acordar mais cedo da soneca ou pela manhã. Os motivos para isso acontecer e algumas soluções práticas serão encontradas a seguir, neste capítulo. Aos 5 meses, a média dos bebês criados de acordo com *Nana, nenê* tira duas sonecas de uma hora e meia a duas horas, mais um cochilo no final da tarde todos os dias.

De 6 a 8 meses

Entre 6 e 8 meses, os pais percebem que a necessidade de o bebê dormir durante o dia diminui, ao mesmo tempo em que cresce o período no qual ele passa acordado. Nessa época, a mamada de tarde da noite é eliminada, deixando o período de quatro a seis horas de alimentação durante o dia. O sono noturno dura, em média, de dez a doze horas. O bebê tira duas sonecas de uma hora e meia a duas horas e talvez um cochilo. Depois que o cochilo é cortado, tanto os períodos de ficar acordado quanto as sonecas restantes aumentam em duração.

Resumo do sono e das sonecas

Qual é a quantidade correta de sono para um bebê durante um período de 24 horas? A resposta depende das necessidades de sono do seu bebê, que mudarão à medida que ele cresce. A tabela a seguir serve como um guia de sono para o primeiro ano. Assim como a maioria de nossas orientações, essas médias se baseiam exclusivamente nos bebês cujos pais adotam as estratégias de *Nana, nenê*.

Semanas	Tempo gasto dormindo	Número de sonecas
1 – 2	17 – 19 horas, incluindo	5 – 6 sonecas por dia
3 – 4	16 – 18 horas, incluindo	5 – 6 sonecas por dia
5 – 7	15 – 18 horas, incluindo	4 – 5 sonecas por dia
8 – 12	14 – 17 horas, incluindo	4 – 5 sonecas por dia
13 – 16	13 – 17 horas, incluindo	3 – 4 sonecas por dia
17 – 24	13 – 16 horas, incluindo	3 – 4 sonecas por dia
25 – 38	13 – 15 horas, incluindo	2 – 3 sonecas por dia
39 – 52	12 – 15 horas, incluindo	2 sonecas por dia

Soneca e choro

Soneca é uma coisa, chorar é outra. Mas as duas, infelizmente, às vezes andam lado a lado. Embora os pais não precisem ficar ansiosos a esse respeito, também não devem ficar totalmente despreocupados. Alguns fatos devem ser analisados. Chorar por dez, quinze ou até mesmo vinte minutos não causará danos físicos nem emocionais a seu bebê. Ele não perderá células nervosas, nem sofrerá uma queda de QI, nem terá sentimentos de rejeição que o deixarão maníaco-depressivo aos 30 anos de idade! Isso porque alguns minutos de choro não desfazem todo o amor e o carinho que a mãe e o pai demonstraram ao longo do dia e da noite. Quem quer um bebê irritadiço, muito carente, nunca satisfeito, incapaz de se acalmar sozinho e vivendo num estado de descontentamento? Esse é o resultado inevitável de "bloquear" todo o choro o tempo inteiro.

É uma verdade da natureza que a maioria dos bebês aprende a cair no sono mais rapidamente e dorme por mais tempo se deixados chorando um pouco. Eles também aprendem a habilidade útil de se acalmar. Quando o bebê está cansado de verdade, o choro não dura muito, embora, para a mãe ou o pai que estão ouvindo, pareça durar para sempre. É claro que é difícil ouvir seu bebê chorar — é ainda mais difícil assumir a decisão de deixá-lo chorar no início de uma soneca. No entanto, ter a perspectiva certa ajuda. Deixar o bebê chorar sem motivo não faz sentido, mas quando você avalia o que é melhor para ele, como o treinamento para um sono saudável, chorar na hora da soneca adquire um propósito. Não se trata de um exercício sem sentido para testar sua determinação, mas, sim, de uma decisão para ajudar seu bebê a conquistar os múltiplos benefícios de ficar bem descansado.

Pense no pouco de choro como um investimento para um ganho lucrativo. O benefício será um bebê que é colocado para tirar uma soneca sem reclamar, acorda descansado e, por isso, fica alerta e pronto para aprender, feliz e satisfeito. É um bom negócio para o bebê, a mãe e o pai. (Leia mais sobre esse assunto no próximo capítulo.)

O bebê fatigado

Os sinais de fadiga infantil são diferentes dos de um bebê cansado. Em geral, o bebê cansado consegue recuperar o sono necessário em uma boa soneca ou, pelo menos, durante um ciclo de 24 horas. Já o bebê fatigado sofre uma interrupção nos ciclos de sono que exige atenção especial. Se os pais tentam manter o bebê acordado e ele pula as sonecas, o problema se agrava. Se tentarem forçar o bebê a dormir, ignorando o choro causado pela fadiga, os pais logo ficarão emocionalmente arrasados e o bebê continuará precisando de ajuda. A fadiga é um dos misteriosos desafios do sono que precisam ser abordados com cuidado. É muito arriscado deixar essa situação de lado, sem uma avaliação adequada. A seguir, expomos alguns fatos a ser levados em consideração no que se refere a lidar com a fadiga infantil.

O sono saudável é constituído por dois componentes principais de que a maioria dos pais não deseja abrir mão: tirar sonecas completas sem acordar, e fazer isso no berço. Os dois elementos são importantes, mas um deles deve ser suspenso temporariamente para o bem maior do bebê que mostra sinais de fadiga.

A fadiga infantil é semelhante à fadiga adulta. Todos sabemos como é se sentir tão cansado a ponto de o sono fugir de nós. A fadiga ataca nosso ritmo de sono. No caso dos bebês, ela os impede de entrar no vai e vem dos ciclos de sono ativo e tranquilo. Isso pode acontecer quando a rotina foge ao normal por vários dias, em especial durante a hora de tirar uma soneca. A prioridade é que a mãe encontre uma solução não estressante para restabelecer o ritmo circadiano do bebê (seu ciclo normal de ficar acordado e dormir ao longo de 24 horas).

Se você sente que seu bebê necessita desse tipo de ajuste e já está em condições de fazê-lo voltar para uma rotina previsível, recomendamos que encontre uma cadeira confortável e um bom livro para ler enquanto permite que o bebê tire uma soneca em seus braços. Essa prática pode se estender até o dia seguinte. Porém, no terceiro dia, as sonecas voltam para o berço. Isso funciona porque a tensão entre a necessidade e o lugar de dormir é suspensa temporariamente enquanto o bebê consegue ter o sono restaurador da forma mais confortável possível. Você não está criando um indutor ao sono porque só fará isso por dois dias a fim de ajudar o bebê a superar a fadiga.

A prevenção é o melhor remédio! Tente pensar em como seu bebê, que dorme muito bem, ficou fatigado. Não aconteceu por acaso e a suspensão da rotina por um dia não gera fadiga, embora a interrupção contínua por dois ou três dias possa fazê-lo. Analise o que está acontecendo em sua casa e na agenda do bebê e faça os ajustes necessários.

O desafio de acordar mais cedo da soneca

Você trabalha com diligência por semanas para ajudar seu bebê de 3 meses a consolidar uma ótima rotina de comer – ficar acordado – dormir; até que, de repente, num belo dia, ele começa a acordar depois de 30 a 45 minutos de soneca sem sinais de que irá se acalmar e dormir de novo. Por que uma criança que tira boas sonecas faz isso e quanto tempo o comportamento vai durar? Algumas horas ou alguns dias? Que impacto isso terá sobre o restante de sua rotina? Existe algo que a mãe pode fazer para resolver esse desafio nas sonecas do bebê?

Os futuros pais e pais de recém-nascidos não precisarão lidar de imediato com o desafio do bebê acordando mais cedo da soneca. No entanto, este será um capítulo bem popular no futuro, que pais e mães consultarão várias vezes. Isso acontece porque esta seção trata dos desafios ligados ao sono e às sonecas — não do desafio do estabelecimento inicial de uma boa rotina de sono para seu bebê, mas dos desafios ligados a interrupções repentinas à rotina já bem consolidada de sonecas. O desafio é real e há bastante ajuda disponível para os pais ávidos por encontrar soluções daqui a pouco. Primeiro, porém, vamos contar uma história sobre a "Chave 26".

De 1991 a 1994, Gary e Anna Marie Ezzo faziam um programa de duas horas ao vivo numa rádio, "Parenting on the Line" [Pais na linha, tradução livre]. O estúdio de transmissão era totalmente equipado com receptores de satélite, transmissores, interruptores eletromagnéticos e uma série de peças, chaves e botões que eles não faziam ideia de como funcionavam. Felizmente, o engenheiro de som sabia. Perto do início de uma transmissão, começou a contagem regressiva normal de sessenta segundos. Aos quarenta segundos, perceberam que os microfones não estavam ligados e viram o olhar ansioso do engenheiro ao se voltar para o rosto assustado do casal. Segundos depois, o engenheiro se posicionou perto deles, examinando uma bancada com trinta pequenas chaves em várias posições de ligado ou desligado. De repente, fixou o olhar na Chave 26, ligou-a e instantaneamente os microfones funcionaram.

Os Ezzo nunca esqueceram aquele momento e o sentimento de perplexidade ansiosa que sentiram quando sua rotina previsível fora interrompida de forma inesperada. A criação dos filhos também tem sua parcela de momentos de perplexidade, como quando um bebê acorda mais cedo de uma soneca profunda, ao contrário de seu hábito normal de dormir. Assim como a "Chave 26", o conserto é bem simples, mas a identificação da causa do problema nem sempre é tão evidente, em especial quando a mãe não tem certeza de onde procurar.

Mas, e se houvesse uma lista de motivos que pais pudessem usar para ajudá-los a identificar a causa mais provável para a perturbação da soneca do bebê? A boa notícia para a mãe e o pai leitores de *Nana, nenê* é que essa lista existe. Nas páginas a seguir, você encontrará uma série de razões para os bebês acordarem mais cedo das sonecas. À primeira vista, a lista pode parecer um pouco preocupante quando se começa a contar o número de possíveis fontes para a interrupção das sonecas. Felizmente, o número de causas possíveis se reduz drasticamente quando os pais analisam algumas variáveis, como a idade do bebê e a principal fonte de alimento (leite materno, leite artificial e/ou alimentos sólidos).

Os pais também devem levar em conta a rotina dessa perturbação. É um problema que acontece em todas as sonecas, somente de manhã ou de tarde? O bebê acorda apenas das sonecas ou de noite também? O problema ocorre todos os dias ou a cada três dias? Basicamente, você deve investigar se existe algum padrão.

É claro que esta seção tem pouco valor se as bases para um sono saudável não tiverem sido estabelecidas antes. Presumimos que o bebê esteja numa rotina bem consolidada de comer – ficar acordado – dormir com três a quatro horas de duração, já durma pelo menos oito horas seguidas à noite e tire sonecas rotineiras de no mínimo uma hora e meia. Essas são realizações normais de

Nana, nenê. É por isso que acordar mais cedo de uma soneca é contrário ao que consideramos "normal".

Isolando a fonte do problema

Todos nós já passamos por isto: sentados com o *notebook* no colo, descobrimos que a conexão com a internet não está mais funcionando. O problema é do computador, do roteador, da conexão fraca no *modem* ou do provedor de internet? O objetivo é conseguir a conexão com a internet de volta, mas, para isso, precisamos descobrir a origem do problema.

Da mesma forma, as perturbações na soneca podem ser acionadas por uma série de fontes. O problema pode estar ligado ao bebê, mas também à mãe ou à alimentação dela, às atividades da hora de ficar acordado ou ao ambiente em que o bebê dorme. Isolar a causa da perturbação do sono do bebê é o primeiro passo para resolver o problema. Para ajudar, nossa lista foi dividida em quatro categorias. Embora algumas causas para problemas no sono tenham soluções óbvias (trocar uma fralda suja, eliminar gases ou um arroto), outras são mais sutis e precisam ser investigadas.

Por questões de clareza, apresentamos duas listas. A primeira fornece uma visão geral dos muitos motivos para os bebês acordarem mais cedo de uma soneca, quer isso aconteça três vezes por mês, quer três vezes ao dia. A segunda lista traz causas que impactam mais do que uma soneca ocasional. Elas estão separadas por asteriscos (*). Analisar as duas listas pode ajudar a mãe e o bebê a chegar mais perto da solução necessária.

NOTA DO AUTOR

Um guia de referência rápido para os desafios ligados às sonecas de seu bebê e uma explicação mais completa do problema podem ser encontrados no aplicativo *Babywise Nap* [disponível em inglês].

Esse aplicativo é uma ferramenta de análise que pode ajudar os pais a isolar a causa subjacente às interrupções na soneca e perturbações de sono para bebês entre 2 e 12 meses de idade. Ao analisar cinco perguntas básicas, o aplicativo reduz as centenas de variáveis para perturbações na soneca a uma lista com as causas mais prováveis para o problema do bebê. Depois que a lista é gerada, o aplicativo oferece a solução mais adequada com base na análise dos dados fornecidos.

Lista 1

Desafios de sono ligados ao bebê

Alguns motivos em potencial para o bebê acordar antes da hora que estão ligados a ele mesmo são:

1. O bebê está com fome porque:
   - Não fez uma mamada completa na última vez que foi alimentado.
   - Precisa de mais calorias do "leite" num período de 24 horas.*
   - Está começando um pico de crescimento.*
   - Está pronto para começar a comer alimentos sólidos.*

2. O bebê está desconfortável porque:
   - Está doente, com um pouco de febre, começando uma infecção de ouvidos, seus dentes estão nascendo etc.
   - Foi picado por um inseto ou está com um fio de cabelo enrolado num dos dedos do pé (síndrome do torniquete).*
   - Está sentindo calor ou frio demais.
   - Está com uma assadura.

3. A barriga do bebê o está incomodando porque:
   - Ele tem um caso leve ou retardado de refluxo.*

- Ele apresenta uma reação alérgica a um novo alimento.*
- Ele está com dificuldade de fazer cocô.
- Ele precisa arrotar.

4. O bebê acordou porque:
   - Assustou-se por reflexo (reflexo de Moro).
   - Rolou e não sabe como voltar para a posição original.
   - Perdeu a chupeta e não consegue se acalmar sem ela.

5. O bebê está começando uma transição de sono ou soneca porque:
   - Está estendendo o sono noturno e isso afeta as sonecas diurnas.*
   - Seu corpo não precisa de tanto sono num período de 24 horas e isso exerce impacto sobre as sonecas.

Desafios de sono ligados à mãe

Alguns motivos em potencial para contribuições da mãe ao fato de o bebê acordar antes da hora:

1. O bebê está com fome porque:
   - A alimentação anterior foi inadequada.
   - A produção de leite da mãe está diminuindo aos poucos.*

2. A alimentação da mãe está afetando o bebê que amamenta.
3. O bebê teve reação a um novo remédio que a mãe está tomando.*
4. O bebê que mama no peito está recebendo *lactose* demais da mãe.*
5. A mãe estava com a agenda apertada e, por isso, não destinou tempo suficiente para o bebê fazer uma mamada completa.

Desafios de sono ligados às atividades

Veja algumas atividades da hora de ficar acordado que podem contribuir para o bebê acordar antes da hora:

1. A hora de ficar acordado anterior foi curta demais.*
2. A hora de ficar acordado anterior estimulou demais o bebê porque:
   - A hora de ficar acordado foi longa demais, promovendo fadiga, em vez de sonolência.
   - A atividade da hora de ficar acordado foi estimulante demais (por exemplo, colocar o bebê em frente à televisão).*
   - A rotina geral do bebê tem excesso de flexibilidade (por exemplo, a mãe está resolvendo muitas coisas na rua e o bebê tira cochilos no carro).
3. A primeira alimentação do dia ocorre em horários flexíveis demais.*
4. As três atividades do dia do bebê estão fora de ordem. A mãe coloca o bebê para *ficar acordado — comer — dormir* em vez de *comer — ficar acordado — dormir.*

Desafios de sono ligados ao ambiente

Veja algumas contribuições em potencial do ambiente para o bebê acordar antes da hora:

1. O bebê não é exposto a uma quantidade adequada de luz solar. A luz natural ajuda os bebês a regular seu relógio biológico.*
2. O quarto do bebê não é escuro o suficiente.*

3. O bebê é estimulado demais no berço por causa de brinquedos de corda que foram ligados quando ele foi colocado para tirar a soneca.*
4. Quando o bebê tem de 4 a 6 meses, ele pode começar a acordar em resposta a sons familiares na casa.*
5. Desconhecido. O que isso quer dizer? Simplesmente que existe um motivo, mas ele é tão peculiar à situação de seu bebê que não ocorre facilmente com outras crianças.*

Lista 2

Esta lista contém uma explicação acerca dos vários desafios de sono relacionados anteriormente.

1. O bebê está com fome porque precisa de mais calorias do leite num período de 24 horas.

Explicação/recomendação: seja alimentado no peito ou pela mamadeira, o bebê necessita de mais calorias para crescer. Isso nem sempre sinaliza a necessidade de introduzir alimentos sólidos, mas pode ser um sinal da necessidade de mais mamadas (caso seja um bebê amamentado) ou de mais mililitros (caso ele tome leite artificial). A fome pode perturbar rotinas consolidadas de sonecas e sono noturno. Peça indicação ao pediatra de leituras sobre a quantidade de mililitros de que o bebê precisa a cada semana ou mês de vida.

2. O bebê está começando um pico de crescimento

Explicação/recomendação: os picos de crescimento interrompem as sonecas do bebê durante toda sua duração, que varia de um a quatro dias. Quando acontecer um pico, alimente o bebê com a frequência de que ele necessitar, mas tente manter os ciclos de comer – ficar acordado – dormir o máximo que conseguir. No dia seguinte ao fim do pico de crescimento, seu bebê tirará sonecas mais longas do que o normal por algum tempo. Isso acontece porque os picos de crescimento são tão exaustivos para o bebê quanto para a mãe. É um processo biológico que faz o bebê exigir calorias adicionais para alguma necessidade específica relacionada ao crescimento, muito provavelmente com o objetivo de recarregar as células com energia. Sua preocupação principal deve ser a de fornecer as calorias extras de que o bebê necessita. (Por favor, revise a seção sobre picos de crescimento no capítulo 4.)

3. O bebê está pronto para começar a comer alimentos sólidos.

Explicação/recomendação: se o bebê tem um padrão de sono noturno bem consolidado, qualquer acordada anormal no meio da noite entre 5 e 6 meses de idade ou acordar cedo das sonecas podem ser sinal de que é necessária uma nutrição mais substanciosa ao longo do dia. Os bebês são bem peculiares no que se refere à prontidão para comer alimentos sólidos. Um pode dar sinais aos 4 meses e outro não demonstrar estar pronto até os 6 meses. Via de regra, os bebês costumam começar a ingerir alimentos sólidos entre 4 e 6 meses, embora algumas pesquisas sugiram que adiar esses alimentos até os 5 ou 6 meses pode diminuir a possibilidade de surgirem alergias alimentares. Por favor, observe que a pesquisa não sugere que o oferecimento de comidas sólidas para bebês de 4 meses cria alergias alimentares, mas, sim, que alguns bebês ainda não desenvolveram a habilidade de digerir os sólidos e isso se reflete por meio de alergias. A AAP é mais favorável à introdução de sólidos aos 6 meses, mas a maioria das avós lhe dirá que qualquer momento entre 4 e 6 meses é apropriado se o bebê estiver mostrando todos os sinais de que está pronto. O pediatra ou médico de família orientará você com base nas necessidades nutricionais únicas da criança e nos sinais de prontidão.

4. O bebê está desconfortável porque está doente, com um pouco de febre, começando uma infecção de ouvidos, seus dentes estão nascendo etc.

Explicação/recomendação: é um pouco assustador! Seu bebê acorda cedo da soneca, chora como quem está sentindo dor, mas você não sabe por quê. Primeiro, coloque a mão na testa dele para ver se está com febre. As orelhas e o nariz vêm em seguida. Nada está vermelho, isso é um bom sinal. Então, você parte para a boquinha para ver se há algum dente novo nascendo. Nada ali. Acabou o exame. Você presume que é um problema de sono.

Não assim tão rápido! O choro súbito e inexplicável tem um motivo e você precisa descobrir qual é. Se você ainda não tem este costume, crie o hábito de conferir seu bebê inteiro uma vez por dia, inclusive os dedos das mãos e dos pés. Procure mordidas de insetos, que costumam se apresentar na forma de uma irritação vermelha na pele. Há também uma condição médica pouco divulgada chamada de "síndrome do torniquete". Um único fio de cabelo, em geral da mãe, ou uma fibra do carpete ou tapete no qual o bebê estava brincando, de algum modo se enrola num dedo da mão ou do pé. Embora seja algo difícil de perceber, com o tempo, esse fio começa a apertar e suprimir a circulação até o membro, causando inchaço, inflamação e dor. Com frequência, o problema não é percebido porque o bebê está de meia ou macacão. Isso não explica todos os choros súbitos e inexplicáveis, nem por que seu bebê está acordando das sonecas antes da hora, mas alerta você sobre a necessidade de uma conferência completa do corpo do bebê todos os dias.

5. A barriga do bebê o está incomodando porque ele tem um caso leve ou retardado de *refluxo*.

Explicação/recomendação: você pode ler mais sobre *refluxo* no capítulo 8, mas é importante compreender que os sintomas de refluxo podem não se apresentar desde o nascimento e só surgir várias semanas depois. Estima-se que, nos Estados Unidos, de 3% a 5% de todos os recém-nascidos apresentem sintomas de refluxo leve ou grave durante os primeiros meses de vida. O refluxo resulta de uma válvula imatura do esfíncter, onde o esôfago se liga ao estômago. Quando funciona da maneira apropriada, ela abre para nos permitir engolir, arrotar ou vomitar, mas se fecha logo em seguida. O refluxo acontece quando o esfíncter fica relaxado ou se relaxa periodicamente, permitindo que o alimento misturado ao ácido estomacal volte ao esôfago e à garganta, causando dor. Essa condição é chamada de azia no mundo adulto.

Caso seu bebê tenha refluxo, pode ter certeza de que o problema se manifestará ao longo do dia, não só na hora da soneca. O recém-nascido Micah é um exemplo disso. Depois de 3 semanas, um caso leve de refluxo começou a aparecer. Para combater seus efeitos, os pais fizeram duas coisas: mantiveram o bebê na vertical por um curto período após cada mamada e elevaram a cabeceira do berço em cinco centímetros, para que a gravidade se encarregasse de impedir que os ácidos do estômago voltassem para o esôfago de Micah enquanto ele dormia. Como era um caso leve de refluxo, essas soluções funcionaram. Em casos mais graves, pode ser necessário recorrer à medicação.

6. Seu bebê está tendo uma reação alérgica a um novo alimento.

Explicação/recomendação: uma regra básica para a introdução de alimentos sólidos é começar com um de cada vez e esperar de três a cinco dias antes de introduzir outro tipo de alimento, para verificar se o bebê desenvolve alguma reação alérgica. A introdução sequencial dos alimentos permite que você monitore a reação de seu bebê e faça os ajustes nutricionais apropriados se necessário. Por exemplo, seu bebê pode se adaptar bem à abobrinha, mas ter uma reação a ervilhas. Desconforto abdominal, diarreia e até mesmo erupções na pele são sintomas comuns de alergia alimentar e também podem afetar as sonecas e o sono noturno. O vômito, embora raro, é um indicador mais sério de que o bebê está tendo uma reação. A lição? Nunca introduza vários tipos de alimento ao mesmo tempo, para não precisar adivinhar qual causou a reação, caso ela ocorra.

Quando introduzir cereal na dieta de seu bebê, comece na refeição da manhã. Caso ele tenha uma reação intestinal, você perceberá e conseguirá lidar com ela até o fim do dia. Ao dar um alimento novo ao meio-dia ou na hora do jantar, você corre o risco de adiar a reação para o meio da noite, período em que é mais difícil discernir as perturbações no sono. Por fim, antes de introduzir alimentos sólidos, confira com os membros próximos da família e outros parentes se existe um histórico de alergias alimentares. Saber que tipo de alergia é comum na família dá a você uma grande vantagem. Se houver um histórico nos dois lados, a probabilidade é maior de que seu pequeno desenvolva alergias alimentares. É bom ter essa informação. Caso aconteça, pelo menos você não será pega de surpresa.

7. O bebê está começando uma transição de sono ou soneca porque está estendendo o sono noturno e isso afeta as sonecas diurnas.

Explicação/recomendação: quando o bebê começa a estender o sono noturno, por exemplo, está passando de dez para doze horas, é natural que isso ocasione uma redução no tempo que o bebê dorme durante o dia. Essa redução costuma se manifestar na hora da soneca (em casos mais raros, acontece às 3 da manhã, quando o bebê acorda querendo brincar). Nesse caso, o bebê não está acrescendo nem subtraindo horas de sono; só está reorganizando o momento em que o sono ocorre. No entanto, à medida que cresce, o bebê começa a diminuir horas porque seu corpo não permite que ele durma em excesso.

8. O bebê está dormindo demais e precisa reduzir as horas de sono.

Explicação/recomendação: embora o sono seja muito importante para o desenvolvimento do bebê e para o desempenho geral de comportamento, há limites para o total de sono de que ele necessita em cada etapa de crescimento. O "centro do sono" no cérebro do bebê envia automaticamente um "sinal de despertar" se ele estiver dormindo demais num período de 24 horas. Quando o bebê atinge esse nível de crescimento, começa a reduzir as horas de sono. Em geral, os bebês não diminuem as horas de sono noturno, mas, sim, das sonecas ao longo do dia. Isso quer dizer que as horas de ficar acordado aumentam e o número de sonecas diurnas decresce.

9. O bebê está com fome porque a produção de leite da mãe está diminuindo aos poucos.

Explicação/recomendação: a queda na produção de leite da mãe costuma ser gradativa; consequentemente, o bebê muda aos poucos a duração da soneca. Ele pode começar acordando apenas de 15 a 30 minutos mais cedo, depois de 30 a 45 e, em seguida, uma hora antes. A maioria das mães pode acrescentar uma ou duas mamadas e aumentar a produção de leite. No entanto, existe uma porcentagem muito pequena de mães que não conseguem manter a produção de leite durante o dia, mesmo depois de tentar todas as sugestões razoáveis de lactação. Às vezes, durante o longo intervalo do sono noturno, a mãe produz uma quantidade suficiente de leite para a mamada da manhã, mas não consegue sustentar a produção necessária ao longo do dia. O resultado final se mostra nas várias horas de dormir. Possíveis causas para a redução do leite incluem:

- A mãe não está oferecendo um número suficiente de mamadas ao longo do período de 24 horas.
- A mãe está fatigada porque oferece mamadas demais (ou agrupamentos de pequenas mamadas).
- A agenda da mãe está ocupada demais (isto é, ela não está descansando o suficiente).
- A mãe não come direito ou não está ingerindo calorias ou líquidos suficientes.
- A mãe está tomando um medicamento para suprimir a lactação.
- A mãe não consegue dar conta de todas as necessidades nutricionais do bebê.

Depois que a mãe descobre a causa provável para o decréscimo em sua produção de leite, ela pode partir para a ação corretiva de qualquer causa que ela possa controlar ou influenciar. Caso perceba que não é capaz de fornecer a nutrição adequada ao bebê exclusivamente por meio da amamentação, mesmo depois de fazer todos os ajustes adequados, a mãe tem duas escolhas. Continuar a amamentar e complementar com leite artificial ou mudar completamente para o leite artificial. Em qualquer das opções, o aspecto mais importante é se o bebê está recebendo a nutrição adequada para crescer com saúde e é nisso que a decisão da mãe deve se basear.

10. O bebê tem reação a um novo remédio que a mãe está tomando.

Explicação/recomendação: a maioria dos remédios receitados às mães que amamentam são seguros para o bebê. Há, porém, alguns medicamentos que podem se tornar uma fonte de desconforto e, portanto, influenciam o sono do bebê. Se a mãe suspeita haver uma ligação entre seu remédio e a irritabilidade do bebê, deve analisar vários fatores. Primeiro, ela não deve presumir que uma medicação segura durante a gravidez sempre é adequada para o bebê que mama no peito. Segundo, a mãe deve conferir a dosagem com o médico ou farmacêutico. É possível reduzir a dosagem ou substituir por outro remédio com menos efeitos colaterais para o bebê? Terceiro, a que hora do dia a mãe está tomando o medicamento? É possível tomá-lo logo depois da última mamada da noite, para que seu corpo possa metabolizar o remédio durante o sono noturno, que, espera-se, será de oito a dez horas antes da próxima mamada do bebê? Por fim, a mãe deve pesar os benefícios de tomar a medicação, considerando que esta exerce um impacto negativo sobre o bebê.

11. Uma produção excessiva de leite está passando lactose demais para o bebê.

Explicação/recomendação: a maioria das preocupações com a amamentação está ligada a mães que não produzem leite o suficiente. Entretanto, em casos raros, algumas mães produzem leite demais, acionando um efeito dominó que se revela na hora da soneca. Quando as glândulas mamárias da mãe produzem e armazenam mais leite do que o bebê necessita, o volume do primeiro e do segundo leite muda. Embora a *proporção* de primeiro e segundo leite continue a mesma, a quantidade total em cada seio é mais elevada. Quando há mais primeiro leite disponível para o bebê faminto, ele ingere mais lactose (o açúcar do leite) e o problema começa aí.

Os bebês saudáveis não têm dificuldade de processar o nível normal de lactose, mas ingerir um volume grande demais sobrecarrega o trato digestivo, porque eles não têm *lactase* (enzima digestiva) suficiente para digerir toda a lactose. O excesso de lactose causa um desconforto significativo proveniente de gases presos. Fezes esverdeadas e aguadas são um sintoma comum desse problema.

Vamos fazer as contas. Presumamos que o bebê esteja na idade de ingerir 150 ml de leite a cada mamada (75 ml de cada seio). Contudo, a mãe produz de 180 a 240 ml de leite a cada mamada, aumentando proporcionalmente a quantidade de lactose disponível nos períodos de alimentação. O bebê começa de um lado, tomando de 90 a 120 ml, troca de peito, mas se sacia com 60 ml compostos principalmente de primeiro leite. Como o primeiro leite é rico em lactose, mas com menor teor de gordura do que o segundo leite, o resultado é excesso de lactose entrando no sistema digestório do bebê. Isso causa dor de barriga, fezes aguadas e acaba levando a interrupções nas sonecas do bebê. Segue-se um ciclo descendente: as sonecas ficam mais curtas, o bebê começa a mamar com menos vigor e o ciclo da lactose se repete.

Uma possível solução? Tirar um pouco de leite dos dois seios antes de cada mamada pode ajudar a resolver o problema. Com essa prática, parte do primeiro leite será removida; assim, quando o bebê mamar, receberá uma proporção de primeiro e segundo leite mais próxima do normal. Infelizmente, a única forma de descobrir quanto de leite tirar é por tentativa e erro.

12. A hora de ficar acordado do bebê é curta demais.

Explicação/recomendação: sempre haverá dias em que a rotina do bebê terá um pouco de variação que causará impacto sobre a duração da hora de ficar acordado. No entanto, se a hora de ficar acordado é sempre muito curta para a idade do bebê, as sonecas serão perturbadas. Embora o sono seja importante para o desenvolvimento, há limites para o tanto que o bebê deve dormir num período de 24 horas. O "centro de sono" no cérebro do bebê começa a enviar um "sinal de despertar" caso ele esteja dormindo demais durante as 24 horas. Um desses sinais é acordar mais cedo de uma ou de todas as sonecas. Os pais devem tentar ajustar a agenda do bebê a fim de permitir que ele fique acordado mais tempo.

13. A hora de ficar acordado do bebê é longa ou estimulante demais.

Explicação/recomendação: quando estão em busca de uma solução para desafios com as sonecas, os pais costumam negligenciar a qualidade da hora de ficar acordado que antecede o momento de sono. Lembre-se, tudo está conectado. A hora de ficar acordado afeta a soneca e vice-versa. Bebês cansados e estimulados em excesso ficam alertas demais, lutando contra o sono por meio do choro. Se esse é um problema regular, encurtar em quinze minutos a hora de o bebê ficar acordado pode ajudar. Além disso, preste atenção nos tipos de atividade em que você e o bebê estão envolvidos. Você recebe visitas demais que têm o desejo irresistível de entreter o bebê? O bebê ficou exposto aos amigos barulhentos do pai que foram a sua casa assistir a um jogo? A mãe sai demais? Quando o bebê vai junto, o ir e vir, as novas paisagens, os sons diferentes e a falta de previsibilidade, tudo trabalha contra o bom comportamento durante as sonecas. Isso porque os cochilos na cadeirinha do carro não substituem uma soneca completa no berço. Uma soneca ocasional no carro não é problema, mas não deve ser a norma, em especial durante os primeiros 6 meses da vida do bebê.

14. A primeira alimentação do dia ocorre em horários flexíveis demais.

Explicação/recomendação: quando estão tentando consolidar um plano de comer, ficar acordado e dormir, os pais devem determinar o horário da primeira mamada do dia e tentar mantê-lo o mais regular possível. Sem a primeira mamada do dia num horário consistente, a mãe pode até alimentar o bebê a cada três horas, mas cada dia terá um ritmo diferente. Isso trabalha contra a estabilização do metabolismo de fome do bebê e acaba afetando a duração de sua soneca.

15. O bebê não é exposto a uma quantidade adequada de luz solar.

Explicação/recomendação: a luz natural é importante para ajudar os bebês a regular seu ritmo circadiano. Esse ritmo é o relógio interno, o sistema biológico de contar o tempo que regula as atividades cotidianas, como os ciclos de dormir e ficar acordado. Recomendamos que, assim que seu bebê acordar pela manhã, você o leve para um ambiente cheio de luz natural (ele não precisa ficar exposto à luz solar direta). A luz natural, associada à primeira mamada do dia, ajuda a estabelecer um ritmo circadiano e manter sua consistência. A rotina ajuda a facilitar essa função incrível que todos os seres humanos possuem.

16. O quarto do bebê não é escuro o suficiente.

Explicação/recomendação: esse é um dos motivos mais negligenciados para que o bebê acorde mais cedo de uma soneca repentinamente e também um dos mais fáceis de solucionar. Os recém-nascidos conseguem dormir praticamente em qualquer lugar e sob quaisquer circunstâncias, mas a "sensibilidade à luz" começa a mudar depois dos 3 meses de idade. O sol da manhã bate de um lado da casa e o sol da tarde, de outro. Dependendo da direção em que fica o quarto do bebê, a luz solar pode influenciar as sonecas do bebê. Assim como a maioria dos adultos, os bebês tendem a dormir melhor e por mais tempo se o quarto for escurecido. Cortinas ou persianas são uma solução simples.

17. O bebê é estimulado demais no berço por causa de brinquedos de corda que foram ligados quando ele foi colocado para tirar a soneca.

Explicação/recomendação: todos aqueles acessórios divertidos para bebês que a mãe e o pai querem usar logo podem ser um problema. Por quê? Os recém-nascidos ainda não estão prontos para apreciar acessórios de berço por causa de sua visão. Antes dos 4 meses de idade, recomendamos deixar o móbile dentro da caixa. Quando tirá-lo, coloque-o no cercadinho, não no berço. Os móbiles são interessantes, mas quando ligados muito cedo e ativados logo antes da soneca, podem se tornar uma fonte de estimulação em excesso. Alguns bebês não têm a capacidade neurológica de lidar com certos tipos de estímulo criados por movimento e som. Até mesmo a luz palpitante da televisão pode estimular demais o bebê. Por exemplo, a mãe está assistindo ao jornal numa sala escura enquanto amamenta e percebe que o bebê está adormecendo. Ela acha que o pequeno deve estar cansado, mas, nesse caso, o bebê está se fechando neurologicamente, um mecanismo usado por seu corpo para se proteger. Trinta minutos depois, o bebê acorda e a mãe interpreta o fato como um problema de sono, quando, na verdade, ele foi ocasionado pelo excesso de estimulação.

18. O bebê de 4 a 6 meses acorda em resposta a sons associados com prazer.

Explicação/recomendação: esse problema é criado por meio da interseção de dois elementos temporais. O relógio biológico do bebê o faz sair do sono profundo para o sono leve perto da hora em que um barulho familiar acontece todos os dias. Perto dos 4 meses de idade, o bebê desenvolve a habilidade de associar sons a atividades e pessoas. Depois de fazer a associação, ele fica mais alerta e o barulho pode acionar o despertamento. Embora muitos bebês voltem a dormir, outros estão prontos para lutar contra o sono, em troca da próxima grande aventura.

Pode ser o barulho familiar dos freios do ônibus escolar ou do portão da garagem se abrindo. Ambos sinalizam a chegada de alguém, talvez um irmão divertido ou o papai amoroso. Há muito pouco que você possa fazer em relação aos freios do ônibus escolar, a não ser acrescentar outro som para neutralizar o barulho durante a soneca afetada. O pai pode estacionar na rua e encontrar uma forma mais sutil de entrar em casa. Toda casa tem sons peculiares que se tornam parte do subconsciente do bebê, em especial se o som antecede momentos de prazer. É como se tocasse uma campainha na cabeça do bebê e, de repente, ele ficasse pronto para a festa!

19. Desconhecido. O que isso quer dizer? Simplesmente que existe um motivo, mas ele é tão peculiar à situação de seu bebê que não ocorre facilmente com outras crianças.

Explicação/recomendação: é, ao mesmo tempo, surpreendente e útil perceber que as coisas mais simples podem ser negligenciadas ao procurar a solução para um problema de soneca ou sono. Certa mãe contou que sua busca terminou quando entrou no quarto do bebê, depois que ele pegou no sono, e sentou para observar a soneca. Ela não sabia ao certo o que estava procurando, mas descobriu algo que não esperava. Cerca de 35 minutos após o início da soneca, um raio de sol começou a bater no rosto do bebê. Nesse caso, o fator desconhecido estava ligado à rotação da Terra, que muda o tempo inteiro o ângulo do sol. Ao procurar de onde vinha o raio de sol, a mãe descobriu que ele era refletido por um pedaço de metal que estava no telhado do vizinho. Embora o impacto do sol sobre aquele exato lugar durasse apenas dez minutos, era o suficiente para acordar o bebê. A mãe pendurou uma toalha no canto da janela durante a soneca e isso resolveu o problema.

Se a causa para a perturbação na soneca de seu bebê cair na categoria de "desconhecida", continue a procurar pistas, fazer perguntas ou convidar uma mãe experiente adepta da AOP para observá-la com seu bebê durante uma parte do dia. Caso esteja sentindo confusão sobre um desafio com as sonecas, um novo ponto de vista não irá atrapalhar.

Resumo de acordar antes da hora

Caso seu bebê esteja acordando de um sono profundo antes da hora com um choro forte, analise se a causa está ligada ao bebê, à mãe, à hora de ficar acordado ou ao ambiente de sono. Esse fenômeno ficou conhecido como o Intruso dos 45 minutos e pode visitar seu bebê a qualquer momento; mas, em geral, aparece depois das 8 semanas de vida e chega ao pico aos 6 meses. Ele pode permanecer por um ou dois dias, ou decidir fixar residência por uma semana.

Se você já eliminou as explicações simples, sugerimos que comece a tratar o intruso do sono como um problema de fome. Tente primeiro alimentar o bebê. Se ele não demonstrar interesse em mamar ou não comer bem, pode eliminar a fome como causa. Mas se ele fizer uma refeição completa, o problema é identificado como uma dificuldade alimentar. Pode ser um indicativo de que o bebê esteja começando um pico de crescimento, do decréscimo na produção do leite ou na diminuição de sua qualidade.

Se não for um problema de alimentação, analise o restante dos itens na lista 2. O segredo para resolver um problema é identificar sua fonte e então trabalhar rumo a uma solução. Mesmo se você não conseguir identificar a fonte, o problema tende a ser temporário e costuma se resolver sozinho.

Por fim, saiba que alguns defensores do sono aconselham as mães a manter os bebês em horários fixos, mesmo que eles acordem mais cedo das sonecas. O conselho é deixar o bebê chorando até a próxima hora de comer, mas fazer isso é ignorar as necessidades em potencial. *Um bebê faminto sempre deve ser alimentado!* Privá-lo do alimento nunca é a forma de resolver um problema de sono.

Resumo: hora de ficar acordado e hora de dormir

A hora de ficar acordado é uma parte cada vez mais importante do dia de seu bebê, pois é um momento de aprendizado. Existe, porém, um equilíbrio, do qual os pais devem cuidar. Estimular um bebê em excesso durante a hora de ficar acordado influencia o próximo ciclo de comer e dormir. Lembre-se de que tudo é conectado. Quando os pais ajudam o bebê ao consolidar padrões saudáveis de comer – ficar acordado – dormir, todos da casa saem ganhando. Quando ocorrem algumas perturbações na rotina de comer e ficar acordado do bebê, haverá mudanças correspondentes em seu padrão de sono. Livre-se disso sendo o mais consistente possível durante as refeições e no período de ficar acordado apropriado para a idade do bebê.

7

Quando o bebê chora

O BEBÊ CHORA E TUDO a seu redor escurece. Você sabe que há uma mensagem em algum lugar, mas onde? Além de chorar quando sentem fome, os bebês têm a própria maneira de expressar seus sentimentos quando estão cansados, molhados, doentes, entediados, frustrados, quando saem da rotina ou são alimentados com frequência excessiva; às vezes, o choro acontece simplesmente porque é isso que bebês normais e saudáveis fazem. Não há mãe e pai que sintam prazer em ouvir esse som, em especial os pais de primeira viagem. O choro de um bebê evoca sentimentos de incerteza diferentes de tudo que já foi vivenciado antes. É uma sensação poderosa e desconfortável que leva mães e pais a se perguntarem se negligenciaram algo ou fizeram alguma coisa errada. Isso leva, com frequência, a momentos de ansiedade. Se você tão somente soubesse o que fazer! Confiamos que, depois de ler este capítulo, você saberá.

Para começar, é confortante saber que a Academia Norte-Americana de Pediatria reconhece que o choro é parte natural do dia do bebê. No guia completo e confiável de sua autoria sobre o cuidado de bebês, lemos:

> Todos os bebês choram, no geral sem razão aparente. Os recém-nascidos costumam chorar um total de uma a quatro horas por dia. Nenhuma mãe é capaz de consolar a criança todas as vezes que ela chora, portanto, não espere fazer milagres com seu bebê. Preste bastante atenção aos tipos de choro diferentes do bebê e

> logo você saberá quando ele precisa de colo, consolo ou cuidado, e quando é melhor deixá-lo sozinho.[1]

Pense que chorar é um sinal, não uma avaliação negativa de sua habilidade de criar filhos. Em seu papel de mãe ou pai, aprenda a interpretar o choro de seu bebê, para poder reagir da maneira adequada. A habilidade de *ler* o choro de seu filho lhe dará confiança para cuidar dele. No entanto, quais são os segredos para decodificar os sinais do bebê?

No início da primeira infância, chorar é uma forma intuitiva de comunicar tanto necessidades quanto desprazeres. O choro de fome é diferente do que comunica doença. O choro de sono não é o mesmo do que significa: "Quero carinho". E o choro de incômodo é diferente do de exigência. O choro também varia em volume. Às vezes, não passa de um leve resmungo. Em outras ocasiões, é um protesto violento. Saiba que a tentativa de minimizar ou "bloquear" todo o choro pode facilmente aumentar o estresse do bebê (e o seu), em vez de diminuí-lo. As lágrimas derramadas por causa do choro ajudam a eliminar de dentro do corpo os hormônios ativados pelo estresse.

O conflito inevitável

No mundo dos conselhos sobre bebês, há dois extremos a evitar: o grupo que diz "Deixe o bebê chorar" e os defensores da ideia de "Bloquear todo choro". O conselho de nenhum desses lados é útil, pois exige que os pais abram mão do bom-senso para adotar essas crenças extremas. O primeiro se origina do movimento behaviorista apresentado no capítulo 2. Para eles, o resultado final (uma criança que segue bem os horários pré-determinados) justifica os meios. Mas e os sinais de fome legítimos que se apresentam antes do horário marcado para comer? Num esquema rígido de alimentação pelo relógio, o bebê é deixado chorando, muitas vezes sem necessidade. O outro extremo é a criação com apego, que promove o bloqueio ou a repressão de todo choro, guiada pela falsa pressuposição de que o choro de um bebê reflete a ansiedade deixada pelo suposto trauma provocado pelo nascimento.

Uma pesquisa interessante demonstrou que os bebês que tiveram liberdade para chorar durante os períodos normais nos primeiros meses de vida se tornaram solucionadores de problemas vigorosos e ativos com 1 ano de idade. Quando enfrentaram obstáculos que os separavam dos pais, encontraram uma forma de driblar as barreiras e voltar para a companhia da mãe ou do pai. Não sentiram estresse nem ficaram assustados. Em contrapartida, os bebês cujo choro era rotineiramente reprimido, não conseguiram superar nem mesmo os obstáculos mais simples que os separavam dos pais. Eles demonstraram a tendência de sentar, choramingar e esperar ser resgatados. Perderam todo o senso de iniciativa para ajudar a si mesmos.[2]

O que isso prova? Quando o choro é reprimido, em vez de administrado de acordo com a necessidade, os bebês aprendem a depender do choro para resolver todos os problemas. Quando os pais bloqueiam cada choro do filho em vez de administrá-lo de acordo com a necessidade, estão, sem querer, fechando outras associações vitais na mente do bebê. Por exemplo, os recém-nascidos aprendem muito rapidamente que uma ação costuma ser sucedida por uma reação previsível. Quando o bebê está com fome e chora, é alimentado em seguida. Se suja a fralda, esta é trocada. Quando se assusta, é acalmado. Se colocado no berço, ele aprende que o sono vem em seguida. Tais associações de aprendizagem são os blocos construtores de habilidades complexas, como se acalmar sozinho e resolver problemas. Quando os pais tentam reprimir todo choro, negam ao bebê o acesso aos padrões de aprendizagem que vêm dessas associações.

Entenda o choro do seu bebê

O segredo para entender o choro de um bebê e reagir da maneira adequada é avaliar o contexto do choro, não só o ato em si. Há seis momentos de choro específicos durante os primeiros cinco meses de vida. Três deles são *anormais* e os outros três são *normais*. O choro anormal sinaliza que algo está errado e deve ser conferido. O choro normal continua a ser um sinal, mas requer uma reação diferente. Veja em detalhes cada um desses momentos de choro.

Choro anormal

Chorar durante a mamada, logo depois de comer e no meio de uma soneca profunda são fatos que merecem atenção, pois não são momentos em que o bebê deveria estar chorando. Não espere que o choro ceda; investigue e procure a fonte do problema.

Choro durante a mamada: costuma acontecer quando o bebê não está recebendo alimento suficiente ou não comeu o bastante na última refeição. Pode haver vários motivos para essa situação, que incluem uma pega incorreta ou a liberação insuficiente de leite. (Ver anexo 4, "Monitore o crescimento de seu bebê".)

Choro logo depois de comer: se seu bebê tem o costume de chorar dentro de trinta minutos após cada mamada e parece mais um choro de dor que de sonolência, isso pode ser causado por um destes vários fatores:

1. Retenção de gases. Com frequência, bebês novinhos engolem ar durante as mamadas. Esse ar precisa sair. Coloque o bebê para arrotar, segurando-o contra o ombro, no colo ou sobre o joelho (conforme mostrado no capítulo 4). A retenção de gases é a primeira causa a considerar quando um bebê acorda depois de trinta minutos de soneca. Esse choro costuma ser um grito agudo. Caso seja essa sua situação, tire o bebê do berço, tente fazê-lo arrotar, dê um pouco de carinho e o deite novamente.

2. Alimentação da mãe. Se você amamenta, pense no que está comendo. Tome o cuidado de evitar grande quantidade de laticínios e comida apimentada. Provavelmente, você não precisará eliminar esses alimentos de sua dieta, mas será necessário reduzir bastante seu consumo.

3. Problema na qualidade do leite. Uma mãe que amamenta pode ter quantidade suficiente de leite, mas não com a qualidade adequada. Se esse for o problema, o bebê reagirá chorando de fome dentro de uma hora. Embora essa situação seja rara, pode afetar até 5% das mães que amamentam. O que você pode fazer para melhorar essa condição? Observe sua alimentação e peça conselho ao pediatra. Talvez ele recomende um acompanhamento com nutricionista.

Choro no meio de uma soneca profunda: caso seu bebê acorde de uma soneca profunda com um choro forte, pode ser uma combinação de qualquer um dos três fatores mencionados anteriormente. Talvez a rotina de sono tenha sido perturbada por ter dormido muito tarde à noite ou por ter passado uma manhã agitada demais. Também pode ser um dos vários fatores descritos no capítulo 6 em relação aos desafios ligados a sonecas. Por exemplo, seu bebê demonstra a necessidade de se alimentar com mais frequência ao acordar de uma soneca profunda. Isso pode indicar um decréscimo na produção ou na qualidade de seu leite. Por favor, alimente o bebê, mas não pare por aí. Tente descobrir por que ele repentinamente começou a dar sinais de fome. Ao alimentá-lo antes da hora, você não está retrocedendo na rotina, mas, sim, fazendo um ajuste saudável e adequado para prosseguir até a próxima etapa do desenvolvimento de seu bebê.

Choro normal

Com exceção dos casos mencionados anteriormente, os outros tipos de choro são normais e os pais já podem esperá-los. Eles incluem chorar pouco antes da mamada, no fim da tarde ou início da noite, quando o bebê é colocado para tirar uma soneca ou dormir de noite.

Choro pouco antes da mamada: sob circunstâncias normais, esse tipo de choro é muito curto, já que a próxima atividade do bebê é mamar. Se o bebê estiver com fome, alimente-o. Caso ele rotineiramente dê sinais de fome antes do próximo horário de comer, descubra o motivo, em vez de deixá-lo chorando. A rotina do bebê serve para atender você e o bebê, não o contrário.

Choro no fim da tarde ou início da noite. A maioria dos bebês passa por um "período pessoal de agitação", que ocorre, de maneira especial, no fim da tarde. Isso se aplica tanto aos recém-nascidos alimentados via mamadeira quanto aos que mamam no peito. E você está em boa companhia: milhões de mães e pais passam pela mesma situação quase no mesmo horário todos os dias.

Se o bebê irritado não se acalmar no balanço para bebê, na cadeira de descanso, com os irmãos ou a avó, pense em colocá-lo no berço. Pelo menos lá ele terá a chance de pegar no sono e tirar todos desse sofrimento temporário. Se o bebê ficar excepcionalmente irritado, de forma contínua, pense na possibilidade de fome. Como está sua produção de leite? Como anda sua alimentação? Os desafios do choro ligados a cólica e refluxo serão abordados no próximo capítulo.

Choro ao ser colocado para tirar uma soneca: quando o bebê é colocado no berço para tirar uma soneca, a duração do choro é determinada pela criança, mas monitorada pelos pais. Para alguns bebês, o choro parece uma forma de manha, apesar de estar alimentado, ser amado e cuidado com grande devoção e intensidade. Alguns bebês têm mais propensão para chorar, em especial quando colocados para tirar uma soneca. Esse não é um sinal de que as necessidades básicas dele não estão sendo atendidas, mas, sim, de que alguns bebês têm uma disposição para chorar que não nos agrada! A Academia Norte-Americana de Pediatria reconhece este fato: "Muitos bebês não conseguem dormir sem chorar e caem no sono mais rapidamente se deixados chorando um pouco. O choro não deve durar muito se a criança estiver cansada de verdade".[3]

Não é incomum que o bebê ocasionalmente resmungue ou chore baixinho no meio de uma soneca. Mais uma vez, as palavras da AAP são úteis na compreensão do que pode estar acontecendo.

> Às vezes, você pode pensar que seu bebê está acordando, quando, na verdade, ele está passando por uma fase de sono muito leve. Ele pode se contorcer, se assustar, ficar inquieto ou até mesmo chorar — e ainda estar dormindo. Ou pode acordar, mas estar prestes a cair no sono novamente se deixado sozinho. Não caia no erro de tentar consolá-lo durante esses momentos; você apenas o despertará ainda mais e adiará a volta ao sono. Em vez disso, deixe-o ficar inquieto e até mesmo chorar por alguns minutos. Dessa forma, o bebê aprenderá a se colocar para dormir sem depender de você.[4]

A Academia continua afirmando:

> Na verdade, alguns bebês necessitam liberar energia por meio do choro para se acalmar e dormir ou acordar por causa disso. Até mesmo de quinze a vinte minutos de inquietação não causarão

> dano a seu filho. Apenas certifique-se de que ele não está chorando de fome, por estar sentindo dor ou porque a fralda está molhada.[5]

Para quem tem o objetivo de ensinar bons hábitos de sono, um pouco de choro passageiro é preferível a maus hábitos de sono que são muito mais prejudiciais do que o choro. Os benefícios de um treinamento para dormir bem se apresentam rapidamente. Você pode ter a expectativa de que o bebê bem descansado se alimentará bem. Além disso, você pode colocar a criança para tirar uma soneca ou dormir à noite e se afastar. O bebê logo cairá no sono e acordará contente. Outra vantagem do treinamento de sono é que você pode colocar seu bebê para dormir na casa de qualquer pessoa e terá sucesso.

Alguns bebês choram por quinze minutos antes de pegar no sono. Outros variam a duração do choro de 5 minutos em uma soneca a 35 minutos de choro intercalado em outra. Se o bebê chorar por mais de quinze minutos, vá conferir se está tudo bem. Faça carinho em suas costas e, quem sabe, pegue-o no colo um pouco. Depois coloque-o de volta no berço. Lembre-se de que você não está treinando seu bebê para não chorar, mas, sim, ensinando-o a dormir. Talvez esse seja o único momento do dia do bebê em que não intervir seja a melhor prática.

Como identificar padrões de choro

Identificar e conhecer os padrões de choro do seu bebê, além de sua disposição ou seu estilo pessoal, podem ajudar você a discernir as reais necessidades dele. Alguns bebês têm um padrão de choro na soneca parecido com uma curva parabólica: um leve resmungo que se transforma num lamento mais forte e depois volta ao resmungo. O sono vem em seguida. O tempo total pode ser de dez a quinze minutos. Um segundo padrão é o bebê chorar por dez minutos, parar e começar um minuto depois por mais cinco minutos, seguido pelo sono. Um terceiro bebê pode ter um terceiro padrão diferente. Os Ezzo tinham uma neta cujo choro logo passava do resmungo para o lamento forte. Então, no auge do choro, ela parava de repente e caía em sono profundo. Após o primeiro mês, qualquer mudança na duração de seu choro ficava aparente; a duração média era de cinco a dez minutos. Com o tempo, ela passou a ficar seletiva e só chorar em algumas sonecas. Depois de três meses, porém, o choro na hora da soneca se tornou raro. Em lugar disso, sonecas e sono noturno contínuos passaram a ser a norma.

Procure conhecer os padrões de choro de seu bebê. Quando isso acontecer, você saberá o que é normal para ele. Ele pode escolher em quais sonecas irá chorar, mas, se você for paciente e compreensivo, sonecas saudáveis e o sono noturno serão a grande recompensa.

Choros que exigem atenção

Um pouco de choro é normal. Você deve esperar por isso, mas também precisa ficar alerta a alguns tipos de choro identificáveis. Por exemplo, um choro agudo e penetrante pode ser sinal de ferimentos externos ou internos no corpo. Se esse tipo de choro persistir, o pediatra deve ser informado.

Uma mudança marcante no padrão de choro do bebê pode ser um aviso de doença. Fique alerta ao aumento súbito na frequência e na duração do choro ou a um choro fraco e baixinho. Converse com o pediatra sobre isso. O choro de fome ou sede é previsível nos bebês cujos pais adotam a AOP. Você pode ter certeza de que o choro não é de fome e sede se o bebê fica satisfeito após a mamada. Os bebês alimentados por livre demanda choram de forma imprevisível. Isso deixa mãe e pai ansiosos, pois precisam adivinhar o que se passa.

Bebês que choram rotineiramente e agem como se estivessem famintos depois de apenas uma hora e meia da mamada não devem estar recebendo alimento suficiente. Se você amamenta, cheque sua produção de leite e os fatores que a influenciam.

Outro choro que precisa ser investigado é quando o bebê acorda no meio de uma soneca com um choro alto e penetrante. Ele pode ser causado por retenção de gases ou por alguma substância no leite materno, vinda de algo que você comeu mais cedo. Se o choro persistir, examine todo o corpo do bebê.

A reação ao choro do bebê

Por quanto tempo você deve deixar o bebê chorar? Reaja imediatamente ao choro anormal. No caso de outros tipos de choro, siga estes três passos:

1. *Pense em que ponto da rotina seu bebê está*: a soneca acabou ou o bebê está no meio da soneca, precisando se acalmar? Está na hora de começar uma soneca? Ele está no balanço há muito tempo? Perdeu o brinquedo? Regurgitou? Essa é a hora do dia em que ele fica inquieto? Essa é apenas uma lista resumida dos motivos que podem levar seu bebê a chorar. Há muitas outras razões além da fome que podem levá-lo às lágrimas e todas elas são legítimas. Primeiro descubra a causa e depois reaja da maneira apropriada.

2. *Ouça o tipo de choro*: mesmo nos primeiros dias e semanas, você começará a distinguir diferentes tons e padrões no choro de seu bebê. Simplesmente pare e ouça. Você pode descobrir que o choro termina tão rapidamente como começou, em especial durante uma soneca. Ao ouvir, você pode descobrir qual é a reação correta.

3. *Aja*: lembre-se, às vezes, a melhor ação é não fazer nada. Por exemplo, se o bebê estiver limpo, alimentado e pronto para tirar uma soneca, deixe-o aprender a pegar no sono sozinho. Talvez seja exatamente disso que ele precisa. Se você adquirir o hábito

de niná-lo até dormir, só terá sucesso em criar um mecanismo de indução ao sono. Isso não é útil para o bebê.

Se ele chorar, marque a duração do choro. Com frequência, as mães se surpreendem ao descobrir que aquilo que parecia uma crise de choro infindável só durou alguns minutos. Na eventualidade de você ouvir, esperar e perceber que o choro não está cedendo, reúna mais informações conferindo o bebê. Dê uma olhada no berço e veja se ele não está apertado num canto. Se for o caso, mude-o de posição e faça um carinho suave em suas costas antes de deixar o quarto.

Haverá momentos em que a investigação exigirá que você pegue o bebê no colo, nem que seja apenas para lhe garantir que tudo está bem. Às vezes, não há razão específica por trás da necessidade de passar um período especial nos braços da mãe. A ideia é esta: sua investigação pode abrir espaço para muitas opções, mas bloquear o choro da criança todo o tempo porque você não consegue lidar com o barulho não deve ser uma delas.

Quando eu devo segurar meu bebê no colo para consolá-lo?

Sem dúvida, você irá segurar seu bebê no colo muitas horas por dia. Enquanto cuida de seu bebê e o alimenta, segurá-lo e fazer carinho nele são atitudes naturais. Flerte com o bebê. Embale-o nos braços. Cante uma doce melodia para ele. Esteja feliz ou não, o bebê ama receber atenção. Quem não ama? Saiba, porém, que é fácil exagerar na atenção quando o bebê está irrequieto.

Os pais devem oferecer conforto sempre que isso for necessário, mas mantenha sempre em mente esta pergunta básica: que tipo de conforto devo dar a meu bebê agora? Uma troca de fralda conforta o bebê molhado. A mamada conforta o bebê faminto. Pegar no colo conforta o bebê assustado e dormir conforta o bebê cansado. O bebê pode receber conforto de várias outras formas, como ser embalado, ser levado para passear no carrinho, ouvir os pais cantando ou ficar perto de uma fonte de música. Esse conforto pode ser oferecido por pessoas diferentes. Com certeza, o pai, os irmãos mais velhos, a avó e o avô podem ser grandes fontes de conforto.

A boa notícia para o bebê é que os seios da mãe não são a única fonte de conforto. A mãe também encontra paz nessa realidade. A sabedoria instrui que a mãe reconheça que o bebê reage a formas diferentes de conforto em momentos diferentes. Se você usar apenas uma fonte, como a amamentação, não está necessariamente confortando o bebê, apenas fazendo-o parar o choro por meio do reflexo de sucção. Se a amamentação for a única forma de conforto, outras necessidades reais serão ignoradas.

Resumo

A mãe e o pai precisam aprender a reconhecer os diferentes choros do bebê. Acredite nesse conhecimento e reaja com confiança. Mãe e pai sábios ouvem, pensam e depois partem para a ação. Não se incomode com o olhar vigilante de quem está observando. Com esforço e compreensão, aja com a sabedoria que você adquiriu. Lembre-se de que, com o crescimento, os padrões de choro do bebê podem mudar. Ele pode estar alimentado, limpo, seco e saudável quando, certo dia, começa a chorar antes de pegar no sono. Apenas considere isso mais uma fase do desenvolvimento normal de seu filho.

8

Cólica, refluxo e bebê inconsolável

Quando a mãe e o pai contemplam a maravilha de uma nova vida, podem, com muita facilidade, se sentir sobrecarregados. Há tanto a aprender sobre criação de filhos e, por serem humanos, eles cometerão erros. A rotina da AOP consegue resolver grande parte da ansiedade, pois leva ordem à vida do bebê e confiança ao coração dos pais; mas nem sempre a vida é previsível. O que acontece quando o bebê não segue a rotina comum e dá sinais de inquietação além das horas normais? Talvez ele chore querendo comer, mas, após mamar por poucos minutos, para e se recusa a ser amamentado ou tomar mamadeira. Talvez ele se curve de dor, mas rejeite seus esforços de confortá-lo. Ou, o mais assustador, coloca para fora o que parece ser a refeição inteira a cada mamada, além de acordar de uma soneca profunda chorando de desconforto. O que você deve fazer?

No capítulo anterior, estabelecemos o contraste entre períodos de choro normais e anormais. Alguns bebês choram antes da mamada ou quando são colocados para tirar uma soneca. Têm um período de inquietação pelo menos uma vez ao dia, em geral no fim da tarde, mas costumam estar relativamente tranquilos durante o restante do dia. São períodos de inquietação normais e até mesmo esperados durante a primeira infância. Mas e os pais que têm um filho como Asher ou Ross, que davam todos os sinais de fome, pegavam o peito da mãe, começavam a mamar e paravam de uma vez após poucos minutos. Quando iniciava o choro, não voltavam a mamar. Dormiam de exaustão, mas acordavam trinta minutos depois com fome e o frustrante ciclo se repetia. Ou talvez tenham um filho como Caleb, que era inconsolável e ficava irrequieto o tempo inteiro, chorando antes, durante e depois das mamadas, esticando as perninhas com dor abdominal. Outros pais têm um bebê como o pequeno Micah, que vomitou todas as suas refeições por seis meses. Para esses pais, a causa do desconforto do bebê era fonte de perplexidade, misturando desespero e fadiga à agonia da preocupação. Veja a seguir alguns detalhes.

A história de Asher

De acordo com Ashley, a mãe de Asher, era isto o que acontecia em todas as mamadas:

> Asher apresentava todos os sinais normais de fome, começava a sugar o leite do peito com vigor, mas parava de repente. Ele se afastava de mim e começava a chorar. Eu sabia que algo estava errado, mas o quê? Tentei de tudo. Mudei minha alimentação, passei a comer com mais frequência, depois diminuí a frequência, mudei-o de lado várias vezes enquanto dava de mamar e o colocava para arrotar com frequência. Nada ajudou. O sono não era o melhor. Asher tirava sonecas muito curtas, de trinta minutos, isso quando eu conseguia colocá-lo para dormir. À noite, ele acordava de quatro a cinco vezes. Nada trazia conforto a meu filho.

A história de Micah

Whitney fez um relato um pouco diferente sobre seu filho Micah, mas igualmente estressante:

> Forester, meu primogênito, regurgitava muito (encharcava uma fralda de boca a cada mamada), mas era muito feliz e um bebê

grande (4,4 kg ao nascer). Ele permanecia no topo dos gráficos de crescimento, então eu não dava muita atenção à cólica ou ao refluxo. Quando nasceu Micah, meu segundo filho, percebi o desenvolvimento de um padrão similar. Já no segundo dia de vida, Micah regurgitava em grande quantidade após as mamadas. A princípio, achei simplesmente que ele golfava muito como meu primogênito, mas, ao fim da primeira semana de vida de Micah, meu marido disse: "Isso não pode ser normal!". Com 2 semanas, Micah regurgitava de quarenta a cinquenta vezes por dia. Havia vezes em que ele golfava tanto leite que eu me perguntava se devia dar de mamar de novo, porque parecia que tudo tinha sido colocado para fora. Ele entrou numa rotina de alimentação a cada duas horas durante os três primeiros meses. Foi um desastre para o ciclo de sono dele e para o meu também! Eu estava desanimada e ansiosa. Lembro-me de me sentir completamente exausta certa noite, chorando às duas da manhã e pensando: "Eu nunca vou conseguir descansar e ele nunca vai dormir! A hora que ele parar de regurgitar, será hora de dar de mamar de novo e vamos começar tudo outra vez!". Hoje percebo que Forester provavelmente também apresentava uma condição parecida quando recém-nascido.

A história de Ross

Sally, a mãe de Ross, recorda:

Percebemos quase de imediato que Ross, nosso primeiro filho, regurgitava muito. Em geral, voltava parte da refeição durante e após as mamadas. Quando eu tentava segurá-lo na vertical e colocá-lo para arrotar ou trocar de seio, ele golfava, encharcando, às vezes, uma fralda de boca. Ele regurgitava de quinze a vinte minutos depois das mamadas. Às 3 semanas de vida, percebemos que Ross tinha dificuldade de mamar no peito, se afastava de mim e começava a chorar durante a amamentação. Para dizer o mínimo, a hora de comer se transformou num evento traumático para nós dois, pois Ross continuamente se afastava, arqueava as costas e chorava, tentava sugar e depois se afastava de novo. Embora ele dormisse relativamente bem, ainda acordava às três da manhã aos 3 meses de idade e tinha um ganho de peso apenas moderado.

A história de Caleb

As dificuldades de Caleb foram ainda mais angustiantes. Sua mãe Stephanie escreveu:

> Caleb nasceu no dia 24 de março de 2004, no começo da manhã, de uma cesariana. Ele foi considerado feliz e saudável e pesava 2,9 kg. Mamava com facilidade, tinha um apetite voraz e se alimentava com prazer, mas vomitava com frequência. Essa avaliação tranquila e o bebê calmo duraram apenas alguns dias.
>
> Ao fim da primeira semana, tudo começou a piorar rapidamente. Caleb ficava muito irrequieto e sempre parecia estar incomodado, com dor. Quando eu tinha sorte, ele dormia uma hora e meia seguida, mas, no fim, acordava gritando, coberto de vômito. Às duas semanas de vida, Caleb foi pesado e medido na consulta médica. Fui informada de que ele estava crescendo muito bem. Ele havia engordado, de 2,9 kg ao nascer para pouco mais de 4 kg. Informei ao médico todos os problemas que Caleb estava enfrentando, mas ele me garantiu que era "apenas cólica e um pouquinho de refluxo". Quando tentei insistir que era mais do que isso, ele me disse que não havia nada com que me preocupar, pois o bebê estava ganhando peso muito bem. (Aos 2 meses, ele havia dobrado de peso desde o nascimento.)
>
> É claro que não estava tudo bem. O problema de Caleb piorou. Durante as mamadas, ele se curvava e ficava duro como uma tábua. Ele mantinha as perninhas dobradas até a barriga e os braços fortemente agarrados à lateral do corpo. Tirar suas roupas, vesti-lo e dar banho nele eram tarefas difíceis por causa de sua rigidez.

Depois de analisar o histórico de Caleb, o gastroenterologista o examinou e fez uma ultrassonografia de seu abdômen. Com base naquilo que descobriu, disse que Caleb tinha um caso grave de doença do refluxo gastroesofágico (DRGE).

* * *

Este capítulo aborda três problemas médicos. Cada uma deles tem o próprio diagnóstico, mas todos apresentam sintomas comuns: choro e regurgitação. São eles:

1. Cólica
2. Refluxo gastroesofágico (RGE)
3. Doença do refluxo gastroesofágico (DRGE)

Esperamos que, ao alertá-lo quanto aos problemas que esses quatro meninos sofreram, você seja proativo em buscar ajuda médica imediata caso seu bebê demonstre os sintomas. No caso de Asher, Micah, Ross e Caleb, todos estavam ganhando peso, mas isso não significava que tudo ia bem com a saúde deles. Ninguém conhece o bebê como os pais e, se você sentir que algo não está bem, para sua paz de espírito e para a saúde da criança, procure conselho médico até sentir que a situação de seu bebê foi compreendida.

Choro e cólica

Há uma grande diferença entre um bebê irrequieto e um bebê com cólica. Os bebês irrequietos costumam ter momento de inquietação seguidos por relativa paz e calma durante o restante do dia ou da noite. O bebê com cólica parece irritado quase o tempo inteiro, dia e noite. Os sintomas de cólica incluem choros penetrantes combinados com estes sinais de incômodo estomacal agudo: dobrar as pernas, agitar os braços, choro inconsolável e gases. Embora essa lista de sintomas faça a cólica parecer uma doença digestória, ela não é.

A maioria dos teóricos sugere que a cólica é a imaturidade do sistema nervoso do bebê de processar toda a gama de estímulos comuns aos recém-nascidos. Essa condição afeta cerca de 20% dos bebês. Costuma surgir entre a segunda e a quarta semana de vida e, em geral, termina por volta do terceiro mês. Embora não exista nenhuma grande preocupação médica associada à "cólica verdadeira", termo que indica como a condição pode ser diagnosticada de maneira incorreta, o principal problema é o estresse e a ansiedade que ela cria dentro do lar. É emocionalmente difícil lidar com o choro constante de um bebê inconsolável. Amigos íntimos e familiares podem ajudar muito ao dar aos pais esgotados curtos períodos de folga durante essa crise temporária.

O que a mãe pode fazer?

Seria maravilhoso se houvesse uma cura médica para a cólica ou algum remédio caseiro que conseguisse dar alívio à aflição física dos bebês, mas esse ainda não é o caso. A notícia animadora é que há esperança para a cólica, por mais perturbadora que seja e os bebês a superam. Caso seu bebê esteja demonstrando sinais de cólica, estas são algumas sugestões de mães experientes:

1. Sempre consulte o pediatra para eliminar qualquer motivo médico para o excesso de choro ou de regurgitação de seu bebê. Pergunte a ele o que pode ajudar seu recém-nascido. Peça uma segunda opinião, caso sinta que suas preocupações não estejam sendo levadas a sério.

2. Lembre que os bebês são diferentes e reagem de maneiras diferentes. Descubra o que funciona melhor para seu bebê e se apegue

a isso. Algumas mães descobrem que ajuda enrolar o recém-nascido num cueiro, outras, que é útil dar um banho morno, colocar o bebê no balanço ou perto de uma lavadora em vibração (perto, não em cima da lavadora). Se você dá leite artificial ao bebê, tente mudar de tipo. O pediatra pode lhe aconselhar a esse respeito.

3. A mãe que amamenta pode descobrir que alguns alimentos em sua dieta acionam o desconforto do bebê. Você pode começar eliminando alimentos que produzem gases (por exemplo, feijões, brócolis, couve-flor, repolho, cebola e alho) ou comidas apimentadas, depois corte laticínios, cafeína e álcool. Seja sistemática, para poder identificar um alimento ou tipo de comida específico que esteja causando os problemas do bebê. Se o motivo for sensibilidade a alimentos, haverá, em poucos dias, uma diminuição perceptível dos sintomas do bebê que se parecem com cólica. Depois de algumas semanas, reintroduza aos poucos itens individuais a sua alimentação e observe como o bebê reage.

4. Evite expor seu bebê ao fumo passivo, em especial se tiver de lidar com sintomas de cólica.

5. Dar uma chupeta ao bebê pode ajudar, em especial depois de uma mamada. As chupetas confortam e ajudam os bebês a relaxar, embora alguns não demonstrem interesse por elas. Pesquisas sugerem que o índice de morte súbita em bebês que chupam chupeta é consideravelmente menor do que entre os que não chupam.

6. Bebês com sintomas de cólica precisam arrotar com frequência. Se você dá mamadeira, experimente uma mamadeira ou um bico feito para reduzir o total de ar que o bebê engole durante a mamada. Algumas das mamadeiras com esse propósito são curvas, vazadas ou têm um saco dobrável em seu interior. Depois de cada mamada, deite o bebê em seus joelhos, com a barriga para baixo e faça uma leve massagem nas costas. A pressão de seus joelhos no abdômen dele pode ajudar a aliviar o desconforto.

7. A maioria dos recém-nascidos, em especial aqueles que lutam contra a cólica, têm baixa resistência a movimentos rápidos, como o tremular da tela da televisão. O sistema neurológico em desenvolvimento do bebê tem dificuldade em processar mudanças rápidas de luz e som. Esse tipo de estímulo pode acentuar ainda mais uma situação já estressante. Tente colocar o bebê para mamar num ambiente muito tranquilizador.

8. No outro extremo, há os bebês que se sentem confortados com movimentos ritmados, som constante ou ambos. Alguns pais apoiam cuidadosamente o bebê num balanço e os colocam perto de um barulho contínuo ou das vibrações de um eletrodoméstico, como a lavadora de louça, o aspirador de pó ou a máquina de lavar e secar roupas.

Cuide de você

Mães e pais de primeira viagem podem achar os primeiros meses de cuidado do bebê muito mais desafiadores do que acreditavam, em especial quando o filho tem cólica. Uma das melhores coisas que você pode fazer por seu bebê é cuidar de si mesma. Tanto quanto possível, mantenha a rotina do bebê, mas, caso esteja se sentindo sobrecarregada, faça uma pausa. Peça a um membro da família ou amigo para assumir os cuidados por um tempo, mesmo que seja durante uma ou duas horas. Embora o tempo pareça passar lentamente durante situações de estresse, não se esqueça desta verdade cheia de esperança: seu bebê superará a cólica.

Refluxo e DRGE

Um dos maiores riscos médicos associados à cólica não é o problema em si, mas o fato de que seus sintomas imitam e, por vezes, mascaram condições graves como a alergia à proteína do leite, intolerância à lactose, refluxo gastroesofágico (RGE) e doença do refluxo gastroesofágico (DRGE).

O DRGE é um problema sério de digestão em recém-nascidos que acaba sendo ignorado com frequência, por ser rapidamente rotulado como cólica. Não é o mesmo que RGE (refluxo gastroesofágico) nem que o simples refluxo. *O RGE causa regurgitação assintomática* e não exige tratamento médico porque o bebê está crescendo bem e não fica irrequieto. *Já a DRGE causa dor intensa e leva à aversão a mamar quando não é tratada.* O caso de Caleb manifestava dor, choro inconsolável e excesso de regurgitações, embora seu ganho de peso fosse excelente; portanto, seu problema verdadeiro demorou um pouco para ser diagnosticado. A DRGE requer atenção médica, em geral na forma de medicamento para diminuir a produção de ácido gástrico; mas, às vezes, exige intervenção cirúrgica. A notícia animadora é que essa situação é facilmente controlável.

Refluxo/DRGE: o que sabemos?

Observação: para fins de discussão, o termo "refluxo" se aplica tanto a RGE quanto a DRGE.

Cerca de dois milhões e meio de bebês nascem por mês em todo o mundo, e muitos apresentarão um caso leve de refluxo. O refluxo diminui à medida que o sistema digestório do recém-nascido amadurece. Estima-se que, nos Estados Unidos, de 3% a 5% de todos os recém-nascidos têm sintomas de refluxo durante os primeiros meses de vida, em grau que varia de leve a grave. *De modo geral, o refluxo se deve a uma válvula imatura do esfíncter, entre o estômago e o esôfago.* Quando funciona da maneira adequada, a válvula se abre e nos permite engolir, arrotar ou vomitar e se fecha logo em seguida. O refluxo acontece quando o esfíncter permanece relaxado ou se relaxa periodicamente, permitindo que a comida misturada com o ácido estomacal volte para o esôfago e a garganta, causando queimação.

Em geral, o refluxo aparece nas primeiras semanas de vida. Ele costuma se corrigir, mas, em casos extremos, o bebê pode desenvolver aversão ao alimento porque associa o ato de comer à dor. A condição pode chegar ao ponto de causar perda de peso significativa ou *esofagite*, desenvolvendo um problema conhecido como "má evolução ponderal". Quando o refluxo exige atenção médica avançada, além da observação, diz-se que o bebê tem DRGE.

Muitos bebês com refluxo são felizes e se desenvolvem bem, apesar de regurgitarem demais. Esses pequenos são, às vezes, chamados de "babões" e não precisam de muita intervenção médica. Crescem bastante, não ficam inquietos além do normal e não sentem dor significativa. Em geral, superam o refluxo sem complicações. No entanto, uma porcentagem menor de bebês, como Asher, Micah, Ross e Caleb, sofre de um tipo grave de azia infantil que requer cuidados médicos. São esses os bebês diagnosticados com DRGE.

Um dos indicativos mais importantes de DRGE é a incapacidade de ser consolado. O bebê chora porque está sentindo dor. Se o problema for DRGE, você perceberá alguma melhora em dois dias e melhora substancial em catorze dias depois que o médico prescrever um remédio que bloqueia a produção de ácido no estômago. Se não ocorrer melhora, os pais devem entrar em contato com o pediatra imediatamente para descobrir o que pode ajudar o bebê.

Há uma série de exames diagnósticos disponíveis para confirmar a DRGE. Os sintomas de seu bebê ajudarão o médico a decidir qual deles é o mais adequado. Se você não se sente confortável com o tratamento ou os exames prescritos, ou não entende quais são os prós e os contras, peça uma segunda opinião. Lidar com qualquer forma de refluxo é um estresse emocional para os pais. Você precisa ter confiança e compreensão, a fim de poder cooperar com sabedoria com o médico de seu bebê. Dessa forma, juntos vocês levarão alívio e conforto para a criança.

Além de dar o medicamento, as mães que amamentam devem relembrar quais são os alimentos ingeridos por elas que podem agravar o problema. Colocar o bebê na posição correta para mamar é importante. Segurar o bebê a um ângulo de trinta graus (o ângulo mais natural para bebês que mamam no peito ou tomam mamadeira) resultará em menos episódios de refluxo do que quando o bebê é segurado na horizontal.

Cólica, refluxo e rotina da AOP

Os pais que têm um bebê com cólica ou refluxo (RGE ou DRGE) podem presumir que a rotina da AOP não funciona para eles, mas a verdade é justamente o contrário. A abordagem de *Nana nenê* ajuda você a reconhecer o progresso e colocar ordem numa situação que, do contrário, seria caótica. Embora talvez você precise fazer adaptações à rotina da AOP para sua situação única, ainda assim estará dando o que é melhor para seu bebê e cuidando das necessidades específicas que ele tem. Analisemos agora como a cólica e o refluxo influenciam a hora de comer, de ficar acordado e de dormir.

Desafios na rotina

1. De modo geral, tente manter o bebê numa rotina regular. No caso do bebê com refluxo, pense em alimentá-lo com mais frequência do que o período recomendado de duas horas e meia a três horas (possivelmente a cada duas horas). Assim será mais fácil para o bebê, já que ele não ingerirá tanto alimento de cada vez.

A pressão de um estômago cheio pode piorar o refluxo. Use de forma rotineira o intervalo que você achar mais útil para seu bebê.

2. Os princípios básicos de *Nana, nenê* continuam os mesmos, incluindo a estabilização de ciclos saudáveis de comer, ficar acordado e dormir. Um padrão de sono bem estabelecido pode demorar mais tempo para ser conquistado quando o bebê tem refluxo, mas virá. No caso de Asher, o sono noturno consistente e ininterrupto só foi alcançado quando ele tinha 6 meses de idade. É preciso observar, porém, que alguns bebês com refluxo começam a dormir a noite inteira entre 13 e 18 semanas de vida.

3. Mantenha o bebê num ambiente calmo e tranquilo. Tente enrolá-lo bem apertado para evitar estímulo e estresse adicionais. Segure-o com leveza e evite balançá-lo, fazer movimentos de vai e vem e dar muitas batidas nas costas.

4. Não se preocupe se o bebê não estiver seguindo exatamente o plano que o livro descreve. Nenhum bebê consegue. Você não está competindo com ninguém e, apesar do problema de digestão de seu bebê, aprenda a apreciar as peculiaridades que ele tem.

Hora de comer e de ficar acordado

1. Evite os dois extremos na hora de comer: deixar seu bebê ficar com muita fome e alimentá-lo demais. Sempre coloque a criança para arrotar.

2. Mantenha o ambiente de comer calmo e relaxante. Desligue a televisão e música alta (tem vibrações que alguns recém-nascidos acham irritantes).

3. Tente apoiar seu bebê numa posição vertical depois das mamadas por no mínimo trinta minutos, ou eleve um pouco o colchão do berço (no máximo a trinta graus de inclinação). Isso ajuda na digestão.

4. Se uma mamada em particular estiver demorando mais de 45 minutos, pare e dê um descanso ao bebê, possivelmente no berço. Não se preocupe se ele cair no sono. É melhor deixá-lo acordar mais cedo (e com fome) para a próxima mamada do que demorar uma hora para fazer uma refeição completa. Isso só deixará os pais e o bebê exaustos.

5. Algumas mães têm uma produção excessiva de leite. O bebê tenta compensar engolindo mais rapidamente e em grande quantidade. Com isso, entra muito ar que produz gases, exacerbando o problema de refluxo. Se essa for sua situação, deixe a gravidade ajudar. Recline uma poltrona ou deite apoiada num travesseiro (para não ficar completamente na vertical) e a gravidade diminuirá a força da descida do leite. Outra técnica é usar os dedos indicador e médio em forma de tesoura para controlar o fluxo inicial de leite. Quando começar a descida do leite, dirija o jato inicial a uma toalha e depois coloque o bebê de novo no peito.

6. A fim de reduzir as regurgitações, evite alimentar demais a qualquer momento. No caso de bebês diagnosticados com refluxo e que regurgitam, a Academia Norte-Americana de Pediatria sugere não oferecer outra mamada, mas esperar até a próxima hora de comer.

7. Os bebês que tomam mamadeira e sofrem de refluxo se beneficiam, às vezes, do engrossamento do leite artificial com cereal de arroz (em geral uma colher de sopa a cada 30 ml de leite artificial, mas os pais devem consultar o pediatra antes). Para permitir que a mistura de leite artificial com cereal flua de forma apropriada, será necessário comprar bicos de mamadeira feitos para esse propósito.

8. Se o pediatra recomendar algum remédio para o bebê, pergunte quais são os possíveis efeitos colaterais. Alguns medicamentos podem dar dores estomacais ao bebê, parecidas com a cólica.

9. Quando trocar seu bebê, tome cuidado para não apertar demais a fralda. Isso pode colocar ainda mais pressão sobre o estômago.

Sono

Dormir pode parecer impossível quando o bebê acorda chorando alto depois de 35 a 45 minutos do ciclo de sono. Veja algumas sugestões práticas a considerar:

1. Você pode tentar enrolar o bebê num cueiro quando colocá-lo para tirar uma soneca. Se o choro for excessivo, a chupeta às vezes o ajudará a se acalmar, ou apenas mude-o de posição.

2. Se o bebê tem o hábito de acordar depois de 45 minutos de soneca, gritando de dor e inconsolável, você pode entrar no quarto depois de quarenta minutos e embalá-lo suavemente para que ele não fique estimulado demais pelo choro. Essa sugestão é adequada para recém-nascidos de até 3 meses.

3. Quando o bebê tem mais de 3 meses, tente dar a chupeta assim que o bebê acordar; ou, se ele já estiver totalmente acordado, pegue-o no colo e o conforte o melhor que puder. Sente, caminhe ou o embale até que mostre sinais de cansaço. Então, tente colocá-lo no berço de novo.

Choro

1. Um sinal típico de refluxo é o choro no meio da mamada, não pegar o peito, comer muito pouco e chorar até ficar exausto. Alimente o recém-nascido assim que ele acordar. Evite deixar que o bebê com refluxo chegue ao choro pleno.

2. Se o bebê estiver estressado durante a mamada, pare, acalme e relaxe seu bebê, para depois continuar a alimentá-lo.

3. Bebês que têm refluxo costumam ficar mais confortáveis na posição vertical, por isso, têm o hábito de protestar quando são

deitados, em especial de barriga para cima. A AAP reconhece que a posição de barriga para cima pode aumentar o choro do bebê com refluxo, mas também a recomenda de modo geral, por causa das estatísticas de morte súbita. Converse com o pediatra sobre o que é melhor para sua situação.

4. Lembre-se de viver um dia de cada vez, concentrando-se no objetivo de longo prazo de estabelecer ciclos saudáveis de comer, ficar acordado e dormir. Alguns dias serão bons, enquanto outros deverão ser considerados pedras no caminho rumo à grande meta. Criar filhos sempre é um processo, mas isso se aplica de maneira especial ao bebê que tem refluxo; portanto, seja paciente consigo e com o bebê. Provavelmente serão necessárias algumas semanas extras para estabilizar a rotina, mas ele chegará lá.

O que aconteceu com os bebês?

Do diário de Ashley:

> Assim que o refluxo de Asher foi diagnosticado, passamos a saber o que estávamos enfrentando e isso tornou as coisas muito mais fáceis. Asher melhorou muito com a ajuda de medicação e, aos 6 meses, o problema de refluxo desapareceu. Foi a partir de então que ele começou a dormir a noite inteira. (Ele foi treinado para dormir à noite em três dias.) Ao mesmo tempo em que começou a dormir à noite, ele também desenvolveu uma rotina de sonecas muito melhor. Com o tempo, passou a tirar duas sonecas por dia, com cerca de uma hora e meia cada uma (manhã e tarde). Hoje, aos 2 anos de idade, as pessoas sempre se impressionam com o quanto Asher dorme bem à noite. Ele ainda dorme doze horas e tira sonecas num tempo total de duas a três horas.

Do diário de Stephanie:

Por ter um ganho de peso saudável, o pediatra de Caleb escolheu prescrever medicamentos, em vez de realizar um procedimento invasivo. Os remédios funcionaram maravilhosamente bem. O refluxo melhorou muito e, o mais importante, seu corpinho começou a relaxar. Depois de uma semana, Caleb começou a dormir por doze horas à noite e continua a fazê-lo desde então.

Do diário de Whitney:

Na consulta dos 3 meses de idade, o médico receitou Prevacid® para Micah na forma de comprimido dissolvível. Funcionou muito bem. Foi quando finalmente ele passou a dormir no berço e a noite inteira. Aos 15 meses de idade, Micah parou de precisar do remédio. Na consulta dos 18 meses, ele ficou dentro ou acima da média de 50% pela primeira vez. Em retrospectiva, percebo como fui desanimada pelas muitas pessoas que me disseram: "Seu problema é só ter muitas roupas para lavar". Isso não é verdade! A informação que eu gostaria de ter desde aquela época era a melhor forma de continuar a trabalhar numa rotina com um bebê que tem refluxo, sem achar que ele deveria dormir a noite inteira às 8 semanas. Aprendi que os bebês com refluxo demoram nesse quesito e isso não é um problema do bebê, nem dos pais, nem de *Nana, nenê*; é apenas uma consequência natural para o bebê com refluxo.

Do diário de Sally:

Levamos uma lista de sintomas para nossa pediatra, que suspeitou imediatamente de refluxo. Ela receitou Zantac®. Percebemos uma diferença significativa em Ross dentro de dois dias. À medida que ele começou a se alimentar melhor, seu sono diurno e noturno também melhoraram. Ross continuou a mamar no peito por treze meses. Quando começou a usar o copinho, interrompemos a medicação. O refluxo havia ido embora.

Resumo

Cuidar de um bebê com cólica e refluxo é uma tarefa desafiadora que pode ser estressante para toda a família. Por esse motivo, os pais devem obter ajuda médica para o bebê o mais rápido possível. Eles também terão um desempenho melhor se forem humildes para pedir ou aceitar ajuda de familiares e amigos que podem alimentar o bebê e lhes dar uma pausa necessária. Os pais não devem ter medo de deixar pessoas confiáveis cuidando do bebê para poderem descansar. Cuidar dessa pequena vida pode e deve ser um trabalho de equipe.

9

Assuntos diversos

QUANDO UM CASAL DESCOBRE a gravidez, não muda muita coisa em sua rotina diária logo de imediato. Os deveres domésticos e profissionais continuam a ser cumpridos como antes, sem muita interrupção. A mãe precisa fazer alguns ajustes graduais à medida que o bebê cresce em sua barriga, mas, de modo geral, a vida antes do nascimento é muito mais fácil do que depois do parto. Então chega o bebê! Embora seja grande a probabilidade de que a mãe tenha uma gravidez e um processo de parto normais, é bem improvável que as coisas aconteçam do jeito que a mãe e o pai projetaram depois que o bebê vai para casa. Assim como as resoluções de ano novo que as pessoas fazem em dezembro, a *realidade* de janeiro acaba tirando-os do caminho escolhido. Os recém-nascidos são capazes de fazer isso com os pais.

As expectativas *versus* realidade sempre farão parte do processo de criação de filhos. Que casal, durante a gestação, não pensa, pelo menos por um instante, que as coisas serão mais fáceis para eles do que para os vizinhos? A maioria das mulheres tem a confiança tranquila de que sua gravidez será diferente, sua habilidade de cuidar de um recém-nascido não apresentará desafios e que o bebê reagirá com doces sorrisos e barulhinhos de contentamento a todos os gestos maternais de amor e cuidado. Embora não tenhamos o desejo de jogar um balde de água fria no entusiasmo e nas expectativas esperançosas de ninguém, oferecemos esta mensagem de cautela para ajudar você: quanto mais você deixar espaço em seu pensamento para o fato de que um bebê chega com algumas interrupções não planejadas, melhor você se ajustará aos aspectos inesperados que invadem o dia do bebê. Pais que presumem ser capazes de planejar e controlar cada momento sem algum tipo de perturbação intrusa se sentirão decepcionados. Ao aceitar a realidade de que não podem agir como se fossem Deus e controlar tudo que acontece na vida do bebê, estão aceitando a própria humanidade. Com o tempo, eles aprenderão a administrar o inesperado. A fim de minimizar os ajustes que um bebê trará a sua casa, passaremos agora a discutir uma lista alfabética de assuntos sobre os quais é útil refletir antes da chegada do bebê. Alguns deles já foram mencionados em capítulos anteriores, mas merecem ser retomados com mais detalhes.

Amamentação de gêmeos

A *alimentação orientada pelos pais* proposta por *Nana, nenê* é um bom recurso para os pais de múltiplos, em especial por dar conselhos úteis sobre a amamentação. Experientes mães de gêmeos acham melhor escolher um seio para cada bebê e deixá-los mamar naquele peito em todas as horas de comer. Isso ajuda a produção de leite a se adequar às necessidades únicas de cada gêmeo. Deixe um dos gêmeos ditar o ritmo e mantenha os dois no mesmo horário. Se isso significa que você deve acordar um deles, faça-o.

Nas primeiras semanas após o parto, você pode amamentar os dois ao mesmo tempo, com os braços inclinados para dar apoio às costas e à cabeça de cada bebê enquanto eles mamam. À medida que crescerem, precisarão mamar um de cada vez. Com exceção dessa diferença, você será capaz de colocar em prática todos os outros aspectos da AOP, inclusive a rotina de alimentação e do sono noturno. Que você aproveite ao máximo sua porção dobrada! (O próximo capítulo abordará o cuidado de múltiplos.)

Avós

Existe um relacionamento especial entre a terceira e a primeira geração. Com razão, você deve aproveitar todas as oportunidades para os avós curtirem seu neto. Não presuma, porém, que seus pais queiram ficar de babás nem abuse das ofertas generosas que eles fizerem ao cuidar de seu pequeno. Acima de tudo, não entregue as responsabilidades de criação dos filhos a seus pais. Embora eles gostem muito dos netos e talvez tenham ótimas opiniões sobre como educá-los, eles não são os pais — vocês são. Sugerimos que você dê aos avós um exemplar de *Nana, nenê*, para que eles saibam o que você está fazendo e por quê. Desse modo, o bebê terá uma equipe do lado dele!

Deixamos aqui uma mensagem para o papai: muitos avós viajam um longo percurso quando chega o grande dia. Com certeza, há empolgação e muita expectativa, mas essa visita pode ser uma bênção ou um problema, dependendo do relacionamento entre vocês e do quanto pensam parecido. Você pode pedir que adiem a visita para alguns dias ou uma semana depois do nascimento do bebê. Até então, vocês terão estabelecido uma rotina básica de cuidado e se sentirão familiarizados com ela. A chegada de um parente que exerça poder e assuma o controle, logo após o nascimento, é muito difícil para as emoções da nova mãe. O pai pode ajudar protegendo a esposa desse tipo de estresse e administrando a situação para o benefício de todos.

Banho do bebê

O bebê só deve receber o primeiro banho completo depois da queda do cordão umbilical (em média de dez a catorze dias depois do nascimento). Nunca mergulho seu bebê na água enquanto o cordão ainda estiver ligado. Um banho de esponja é tudo de que o recém-nascido precisa. Nunca tente remover o cordão umbilical cortando-o ou torcendo-o. Ele cairá sozinho a qualquer momento depois da segunda semana de vida. Mantenha a área do cordão limpa usando um cotonete e um pouco de álcool ou lencinhos de álcool. Isso deve ser feito após cada troca de fralda.

Depois que o cordão cair e o bebê estiver pronto para um banho, confira se a água está morna ao toque, mas nunca quente. Pegue leve no sabonete, pois ele resseca a pele, deixando-a com coceira e provocando descamações.

Nunca deixe um bebê na água sem supervisão, mesmo se ele souber ficar sentado sozinho. O perigo em potencial é grande demais, nem que seja por um minuto.

Chupeta e chupar dedo

Há muitos bons motivos para oferecer a chupeta a seu recém-nascido. Pode ajudar a satisfazer a necessidade de sugar sem fins nutritivos; acalma e pode ocupar períodos de estresse; também é útil quando a mãe precisa de alguns minutos até poder pegar o bebê para dar de mamar. Além disso, pesquisas sugerem que a chupeta pode reduzir o risco de morte súbita.

Há, porém, algumas advertências: *primeiro, a chupeta não deve ser apresentada cedo demais se a mãe estiver amamentando.* Existe a possibilidade de que o bebê prefira a chupeta à mãe porque mamar no peito exige mais energia. Segundo, como a chupeta é uma fonte de prazer, *ela pode se tornar um vício.* Por exemplo, o bebê pode depender dela para cair no sono ou voltar a dormir quando acorda mais cedo de uma soneca. No começo, a chupeta pode ser uma amiga dos pais, mas tome cuidado para que ela não se torne, depois de 6 a 8 meses, uma inimiga.

As crianças — recém-nascidas, bebês e um pouco maiores — chupam o polegar e os dedos mais por hábito do que por uma necessidade psicológica profunda de conforto. Os bebês acham confortante chupar o dedo em momentos de estresse, fadiga ou calma. Ao contrário da chupeta, o polegar está fisicamente ligado à criança e ela pode adquirir o hábito de ficar apegada a esse dedo. A boa notícia é que 50% dos bebês param de chupar o dedo por conta própria aos 6 ou 7 meses de idade. Se a chupeta ou o dedo se tornar um problema depois desse período, você encontrará soluções em *Além do nana nenê*.

Cirurgia cesariana

Essa forma de parto, normalmente chamada apenas de cesariana, é realizada por meio de uma incisão na parede abdominal e no útero. A decisão pela cesariana é feita antes da data de nascimento por causa de um problema de saúde conhecido ou de uma complicação inesperada, ou durante o trabalho de parto, em decorrência de uma complicação inesperada. Em ambos os casos, médicos competentes têm em mente o melhor para você.

Com frequência, as mães de primeira viagem entram em trabalho de parto antes de passar pela cesariana. Isso significa que seu corpo precisa suportar dois grandes eventos, assim como a criança. Bebês que nascem de cesarianas de emergência tendem a ficar um pouco mais lentos ou irritadiços durante as primeiras semanas. Podem estar mal-humorados por causa dos remédios que a mãe precisa tomar no processo pós-operatório. Em geral, porém, tudo se acalma por volta da terceira semana. Os bebês que nascem de cesariana não sofrem atrasos para começar a dormir a noite inteira quando a AOP é adotada.

Como a cesariana é uma cirurgia de peso, dê a si mesma tempo para sarar quando chegar em casa com o bebê. Quando ele cochilar, durma também. As tarefas domésticas podem esperar.

Hoje são realizadas mais cesarianas porque a ciência médica desenvolveu mais tecnologia para proteger os bebês, mas também porque existem mais processos judiciais contra ginecologistas e obstetras, pressionando-os a praticar tratamentos conservadores, de baixo risco. Fazer uma cesariana é uma decisão médica que não reflete, de maneira nenhuma, na avaliação de uma mulher em seu papel de mãe. O principal objetivo de uma cesariana é um resultado saudável para a mãe e o bebê.

Criação de vínculos com o bebê

O termo "vínculo" veio de uma teoria controversa da década de 1980 sobre mães e bebês. Mas hoje é comum ser usado para descrever a conexão emocional entre duas pessoas. A teoria original postulava a existência de um período sensível para a mãe logo depois do nascimento, no qual ela deveria fazer contato olho no olho e pele a pele com o bebê para que o vínculo materno ocorresse de verdade no longo prazo. A maioria dos casais presume que esse vínculo seja para o benefício do bebê, mas a teoria se concentra na mãe, sugerindo que, se ela não estabelecer uma conexão logo depois do nascimento, é mais provável que rejeite o bebê passivamente, retendo amor e nutrição. Antes de se preocupar com a pobre mãe que não tem a chance de segurar o bebê logo após o parto, saiba que *a pesquisa não validou* a relação de causa e efeito proposta por essa teoria. Embora alguns animais demonstrem tendências instintivas dessa natureza, especular que seres racionais reajam de maneira semelhante é cientificamente inaceitável. A antropologia, o estudo da humanidade, é muito diferente da zoologia, o estudo dos animais.[1]

No entanto, as falhas dessa teoria não devem diminuir a beleza do momento logo após o nascimento em que mãe, pai e bebê se encontram pela primeira vez. Deve haver muito toque, lágrimas, fotos e palavras gentis de afeto. Se a mãe e o bebê forem temporariamente separados após o parto, o amor de mãe não será menor, nem a criança passará pela vida com prejuízos permanentes por causa do déficit de vínculo criado nas primeiras horas ou mesmo dias após o nascimento.[2]

Crosta láctea

Os adultos perdem células da pele sem nem sequer notar. Já nos bebês, as novas células epiteliais crescem em grande velocidade, com frequência mais rápida do que as células antigas conseguem descamar, deixando as células velhas presas às novas. Quando isso acontece, parece uma escama branca ou uma erupção irregular. Aparece com mais frequência na cabeça, nas orelhas e na testa do bebê e ganhou o nome de crosta láctea. Não é perigosa nem contagiosa. Incomoda mais a mãe e o pai do que o bebê. É provável que o médico recomende uma pomada e dê o conselho de observar a condição, mas não é necessário se preocupar.

Dentição

O início da dentição acontece quando um dente começa a apontar na gengiva. O processo faz parte do crescimento normal. Costuma iniciar entre os 5 e 7 meses. Em geral, os dois dentes de baixo nascem primeiro, seguidos pelos dois dentes do meio superiores. Os dentes de meninas costumam nascer primeiro, mas, por volta dos 2 anos de idade, tanto meninos quanto meninas têm vinte dentes de leite, ou estão quase chegando lá.

O nascimento dos dentes não deve interferir na amamentação, já que o reflexo de sucção usado enquanto o bebê mama no peito é feito pela língua e pelo palato, não pelas gengivas. Desconforto, irritação, inquietação, aumento na salivação e um pequeno aumento de temperatura podem acompanhar o surgimento de um dente, mas não devem produzir mudanças na rotina de alimentação do bebê. É possível acontecer uma pequena interrupção no sono, mas não o suficiente para atrapalhar um padrão de sono bem estabelecido.

O bebê deve ir ao dentista quando nascer seu primeiro dente; no máximo, leve-o para um *checkup* dos dentes por volta do primeiro aniversário. Isso é muito importante porque a avaliação e a educação iniciadas cedo são o segredo para evitar doenças dentárias da infância. Seu dentista pode ajudar você a descobrir quais são os riscos de cárie a seu filho e ensinar técnicas para limpar os dentinhos dele com eficiência e segurança. O começo das visitas ao dentista no início da infância ajuda a criança a se sentir confortável no consultório odontológico.

Depressão pós-parto (DPP)

Até o bebê dormir pelo menos seis horas durante a noite, a mãe lutará contra a fadiga. Isso é algo normal e esperado. No entanto, se você perceber que, depois da consulta seis semanas após o parto, está passando por mudanças bruscas de humor, tem dificuldade de realizar até mesmo as menores tarefas domésticas e está o tempo inteiro à beira das lágrimas durante o dia, por favor, converse com seu obstetra. Esse estado de espírito e essas emoções não são normais e sinalizam a existência de uma depressão pós-parto. O telefonema para seu médico é barato, mas o preço para você e para o restante de sua família é mais do que você deseja pagar se não procurar ajuda.

Existem três níveis de desequilíbrio hormonal pós-parto. O primeiro e o menos grave de todos é a *tristeza pós-parto* (também conhecida como *baby blues*), algo que a maioria das mulheres sente logo depois do nascimento. Em geral, chega ao auge entre o quarto e o quinto dia após o parto e costuma desaparecer em dez dias a duas semanas. As mães que passam pela tristeza pós-parto costumam chorar pelas menores razões, se sentir sobrecarregadas, perder a concentração com facilidade e ter alguma dificuldade para dormir. Diferentemente da depressão pós-parto, a tristeza pós-parto não é uma condição isolada. Pode dividir espaço com os sentimentos de alegria, empolgação e felicidade.

O segundo nível de desequilíbrio hormonal é a *depressão pós-parto* (DPP), que pode surgir alguns dias ou até mesmo semanas depois do nascimento. É considerada pelas autoridades em saúde uma condição mais grave do que o caso simples de tristeza pós-parto. As mães com DPP sentem depressão, tristeza, desespero e fadiga. Com frequência, ficam ansiosas, irritadas, chorosas e incapazes de se concentrar. Podem ter dificuldade para dormir e desequilíbrio na hora de comer. A mãe pode minimizar muito os sintomas de DPP se seguir uma boa rotina para o bebê e para ela, pois isso permite que descanse e se alimente bem. Caso perceba que continua a sentir uma melancolia anormal depois de várias semanas, deve procurar conselho do obstetra.

O terceiro nível de desequilíbrio ligado ao parto é a *psicose pós-parto*. Esse é, de longe, o estado emocional mais grave, já que costuma desencadear uma ruptura com a realidade. Os sintomas incluem alucinações, ilusões, pensamentos suicidas ou homicidas e pensamento desorganizado. A mãe que já teve transtorno bipolar no passado tem probabilidade maior de desenvolver psicose pós-parto. O médico deve ser consultado o mais rápido possível. Uma em cada mil mulheres que dão à luz sofre dessa doença. É uma condição grave, que deve ser tratada com senso de urgência.

Desmame

A definição atual de desmame é o processo de oferecer complementos alimentares em lugar do leite materno ou em adição a ele.

Esse processo começa no momento em que os pais oferecem uma mamadeira de leite artificial ou quando o bebê prova cereal pela primeira vez. A partir desse momento, o desmame é um processo gradativo. Como está ligado à amamentação, não há uma idade estabelecida para quando é melhor ou preferível desmamar.

Quando pronta, a mãe que amamenta pode começar o processo de desmame eliminando uma mamada de cada vez. Deve esperar de três a quatro dias antes de eliminar a próxima. Esse intervalo permite que o corpo da mãe faça os ajustes necessários para a redução do leite. Em geral, a mamada mais fácil de cortar é a do fim da tarde, já que costuma ser uma hora agitada do dia. Substitua as mamadas por 180 a 240 ml de leite artificial ou leite de vaca, dependendo da idade da criança. (Os pediatras recomendam, de modo geral, que os bebês não bebam leite integral de vaca até terem no mínimo 1 ano de idade.) Embora o desmame do peito ou da mamadeira possa começar só com 1 ano de idade, a mãe deve pensar no futuro e introduzir o "copo de transição" por volta dos 6 ou 7 meses de vida. *Além do nana nenê* dá dicas sobre esse assunto.

Os bebês que tomam leite artificial podem começar a fazer a mudança da mamadeira para o copo de transição em torno de 10 a 11 meses. Quando começar o desmame da mamadeira, inicie com o almoço. Alguns dias depois, elimine a mamadeira da manhã e da tarde. A mamadeira da noite é a última a ser cortada. Esse processo exige tempo; portanto, prepare-se e seja paciente.

Doenças e febre em recém-nascidos

Quando seu recém-nascido der sinais de estar doente ou estiver com febre superior a 38 graus, entre em contato com o pediatra imediatamente. A febre é um sinal de que o sistema imunológico de seu bebê está combatendo uma infecção, mas esse sistema ainda não funciona a todo vapor até os 3 meses, deixando os recém-nascidos mais vulneráveis a infecções. Febre num bebê muito novo é motivo de grande preocupação para um pediatra. Pode indicar uma ampla gama de infecções — nos ouvidos, na bexiga, nos rins ou nos pulmões — que só um profissional é capaz de diagnosticar. Ficar doente e com febre é parte natural da vida, mas felizmente vivemos numa época em que a maioria das infecções bacterianas e virais comuns é tratada facilmente com intervenção médica.

Enrolar o bebê num cueiro

A maioria dos recém-nascidos gosta da segurança de ser enrolado num cueiro. Trata-se de uma prática antiga que incentivamos. A firmeza de estar enrolado acalma e conforta o bebê irritado, facilita o sono dos recém-nascidos e minimiza o reflexo de Moro que, muitas vezes, acorda a criança. Aprender a enrolar o bebê num cueiro não é difícil. Use uma manta comum ou uma feita em especial para esse propósito.

Algumas advertências: tome cuidado para não apertar demais o bebê, pois isso pode restringir a respiração e a circulação, e não deixe o cueiro cobrir o rosto do bebê. Chegará o momento, é claro, que seu bebê não gostará mais de ser enrolado e demonstrará isso para você. Apenas siga o direcionamento do bebê nesse aspecto.

Equipamentos para bebês

Com exceção da cadeirinha para automóvel e do berço, todos os outros equipamentos para bebês são opcionais. É fácil entrar numa megaloja para bebês e se impressionar com o novo, o bonito e o sofisticado. Os equipamentos e acessórios para bebês são comercializados segundo os gostos e as preferências dos pais, pois os bebês não se importam com a combinação de cores da moda. O radar deles não capta esse tipo de coisa, portanto não se preocupe se as coisas novas e bonitas não couberem em seu orçamento. Muitos itens, como o cadeirão, o carrinho, o trocador e o berço podem ser emprestados por um parente ou amigo, ou adquiridos com pouco investimento em lojas de produtos de segunda mão ou bazares.

Babá eletrônica

As babás eletrônicas em áudio entraram em cena nos anos de 1960. A geração atual de produtos inclui imagens em vídeo. Os pais podem ouvir e ver o que se passa dentro do quarto do bebê. Os preços variam muito, desde o equipamento simples, sem vídeo, até aparelhos em alta definição, com imagem em cores e visão noturna.

A babá eletrônica vale o investimento, pois permite que você monitore o bebê à distância. Isso dá à mãe e ao pai mais liberdade para se movimentar pela casa enquanto o bebê está no berço, no cercadinho ou, mais tarde, brincando sozinho no quarto. Um lado negativo é que ouvir todos os suspiros, barulhos, murmúrios ou movimentos que o bebê faz é fofo a princípio, mas pode se tornar cansativo. No silêncio da noite, as babás eletrônicas ampliam todos os sons, deixando os pais num estado de exaustão pela manhã. A última coisa de que o bebê precisa pela manhã é de pais mal-humorados, portanto pense na possibilidade de desligar o controle de som durante a noite. Tenha consciência de que as babás eletrônicas não são equipamentos médicos e não têm a intenção nem a capacidade de impedir a morte súbita.

Balanço para bebês

Alguns balanços para bebês tocam música enquanto embalam e outros oferecem uma variedade de opções de reclinar, além de múltiplas velocidades de balanço. Os bebês irrequietos tendem a se acalmar mais depressa num balanço com ritmo rápido, enquanto a velocidade mais lenta é propícia para momentos relaxados, sem inquietação. A opção de reclinar funciona bem depois de comer, para ajudar o bebê a aliviar a pressão do estômago cheio.

A AAP recomenda que o balanço só seja usado depois que bebê consegue sentar sozinho, em geral por volta de 7 a 8 meses de idade. Entretanto, a maioria das avós lhe dirá que, assim que o bebê tiver bom controle da cabeça e da parte superior das costas, o balanço pode ser usado na posição reclinada, contanto que o bebê esteja bem apoiado e seguro com firmeza, para que não se mexa nem escorregue do balanço.

O balanço não deve ser usado por usado por longos períodos. Seu uso não deve ultrapassar de quinze a vinte minutos, duas vezes por dia. E o bebê sempre deve estar dentro do raio de visão da mãe ou do pai. Quando usar o balanço para poder realizar uma tarefa, como preparar o jantar, faça questão de conversar com o bebê enquanto ele balança.

Quer você compre um balanço novo, quer pegue um emprestado de um amigo, certifique-se de que esteja bem montado, tenha uma base grande e um centro de gravidade baixo. Embora seja raro que o bebê caia, pode acontecer de o balanço não estar corretamente centrado e a criança se inclinar demais para uma direção. Sempre use o cinto no colo e nos ombros. Eles servem para a proteção de seu bebê!

Berço

Os berços e moisés não são produtos da revolução industrial, mas móveis que vêm sendo usados há milhares de anos. As antigas sociedades mediterrâneas da Grécia, de Roma e de Israel usavam berços para os bebês. O berço de balanço ganhou popularidade na Idade Média e se tornou um símbolo de riqueza. As mães em ambientes primitivos penduravam os berços no teto das cabanas, para que pudessem embalar suavemente os bebês quando passassem ali por perto. O berço é o móvel de bebê mais básico que você adquirirá. Pense bem em qual você vai comprar ou pegar emprestado, já que seu filho passará quase metade de seus primeiros 18 meses de vida dentro dele.

O colchão deve ter um encaixe bem justo em todos os quatro lados, ser firme e de boa qualidade. O encaixe justo evita que o bebê prenda partes do corpo entre o colchão e o berço. A grade deve ficar a pelo menos 65 cm acima do topo do colchão para evitar qualquer tentativa de escalar o berço quando o bebê estiver maior.

O espaço entre as barras das grades não deve passar de seis centímetros. O protetor de berço é um bom investimento e mais seguro para o bebê do que usar travesseiros ou bichos de pelúcia, que podem causar sufocamento. Evite colocar o berço perto de janelas com corrente de ar, aquecedores ou dutos de ar. Uma corrente contínua de ar quente pode ressecar o nariz e a garganta do bebê, causando problemas respiratórios. A AAP não recomenda colocar o bebê para dormir em superfícies macias como colchões de água, travesseiros ou colchões maleáveis.

Cadeira de descanso

Não é a cadeirinha para automóvel. A cadeira de descanso é um assento leve e portátil feito especialmente para bebês. Você poderá usá-la desde o nascimento da criança e achar mais útil do que qualquer outro equipamento nas primeiras semanas e nos meses iniciais. As cadeiras de descanso costumam vir com alças de segurança. Isso as torna adequadas para dar alimentos sólidos ao bebê quando chegar a hora. Embora o cadeirão seja usado na maior parte do tempo, a cadeira de descanso é útil em especial quando você sair para visitar amigos ou for a um restaurante.

Cadeirinha para automóvel

A cadeirinha para automóvel é um item que será usado por um tempo, portanto pense no longo prazo ao fazer o investimento. Algumas cadeirinhas são muito estilosas e funcionam bem para um recém-nascido, mas podem não ser muito práticas para um bebê mais crescidinho. Para evitar a necessidade de comprar uma segunda cadeirinha, faça antes uma comparação de modelos.

Dirigir com um bebê numa cadeirinha requer atenção extra. Proteja os músculos do pescoço do bebê, evitando que a cabeça dele gire de um lado para o outro. Alguns pais fazem isso enrolando uma fralda de pano ou manta para apoiar as duas laterais da cabeça, ou você pode comprar um encaixe especial feito para cadeirinhas de carro. Certifique-se de que aquilo que você usar não bloqueie a respiração do bebê. Dirija com cuidado e de forma defensiva, lembrando que freadas súbitas causam impacto maior no bebê, pois ele não tem força nos músculos do pescoço. Ele estará mais seguro numa cadeirinha com a cabeça voltada para o encosto do assento traseiro até completar 1 ano e pesar menos de nove quilos.

Cercadinho

Depois que os pais têm sob controle a rotina de comer e dormir do bebê, é hora de trabalhar nas atividades de ficar acordado. Os pais podem começar a usar o cercadinho como uma cama portátil assim que o bebê nascer e para o tempo de bruços após o bebê conseguir ficar com a cabeça para cima e ser capaz de explorar um objeto com as mãos. Quando o bebê conseguir ficar sentado, o cercadinho deve fazer parte de sua rotina diária. Explicamos em detalhes os benefícios dessa prática para o desenvolvimento no livro *Além do nana nenê*.

Fraldas, higiene e assaduras

Os novos pais têm a opção de escolher entre fraldas descartáveis ou de pano. É uma questão de preferência pessoal. Via de regra, você trocará a fralda de seu bebê após as mamadas. Os bebês criados segundo a AOP trocam uma média de seis a oito fraldas por dia, coincidindo com a hora de comer. Uma exceção é a mamada no meio da madrugada. Nela, a fralda só é trocada quando está suja de cocô, encharcada ou se o bebê estiver assado, já que seu objetivo é ajudar o bebê a dormir a noite inteira. Quando o bebê finalmente começar a dormir entre oito e dez horas por noite, use uma fralda um tamanho maior do que a que você coloca ao longo do dia ou duas fraldas de pano.

Como a pele do recém-nascido é muito sensível, evite usar lenços umedecidos. Um substituto melhor é água e um pano limpo. Quando o bebê se aproxima do terceiro mês de vida, a sensibilidade a lenços umedecidos diminui substancialmente. Os lenços com lanolina são os melhores.

Quando limpar seu bebê, sempre comece de frente para trás (nunca de trás para frente), em especial nas meninas, para impedir a disseminação de bactérias que podem causar infecções no trato urinário. Preste atenção às dobrinhas nas coxas e no bumbum. Quando for trocar meninos, é uma boa ideia segurar uma fralda limpa em cima da genitália, pois a exposição ao ar costuma levá-los a urinar sem nenhuma consideração por quem está na linha de fogo!

Sempre que há fralda, existe potencial para assadura. Esta pode ser causada por infecção fúngica, alergias alimentares, nascimento de dentes, ou ficar demais com a fralda suja. Caso a pele de seu bebê seja muito sensível, ele pode ser mais propenso a ter assaduras. A melhor forma de prevenir uma assadura é manter a pele do bebê tão seca e limpa quanto possível. Isso significa trocar fraldas com frequência, a fim de impedir que a urina e as fezes irritem a pele.

Com a atenção adequada e as pomadas contra assaduras, a maioria dos problemas desaparece em poucos dias. Caso seu bebê esteja tomando algum remédio, confira na bula quais são os efeitos colaterais. Se a assadura persistir, consulte o médico para obter diagnóstico e tratamento profissionais. Leia mais sobre o cuidado e o tratamento de assaduras no anexo 1.

Hora da cobertinha[3]

Pode ser difícil imaginar que um bebê de 5 meses esteja em processo de aprendizagem quando colocado em sua cobertinha, brincando com um brinquedo ou mordedor colorido, mas ele está. A hora da cobertinha facilita as experiências iniciais de aprendizagem ao permitir que o bebê se concentre, e servir como uma útil fronteira móvel. Comece a hora da cobertinha com seu bebê assim que ele conseguir ficar com a cabeça para cima e mexer um objeto com as mãos, a partir dos 4 meses. Comece com cinco a dez minutos por dia e aumente o tempo até a duração que seu bebê aceitar alegremente. A beleza da cobertinha é sua mobilidade. Você pode colocá-la praticamente em qualquer lugar da casa que seja conveniente para a mãe e o pai. Os avós também acharão a cobertinha útil quando o bebê for lhes fazer uma visita.

Introdução de alimentos sólidos

A introdução de alimentos sólidos na alimentação do bebê não significa que ele deixará de fazer as refeições líquidas. As calorias obtidas do leite materno ou artificial continuam a ser de extrema importância, mas agora seu bebê chegou a uma etapa de crescimento em que as refeições líquidas deixaram de ser suficientes para a nutrição.

Em geral, os bebês começam a comer alimentos sólidos entre 4 e 6 meses de vida. Embora a AAP seja mais inclinada a apoiar o início aos 6 meses, o pediatra orientará você com base nas necessidades nutricionais únicas de seu bebê. Existem alguns sinais de desenvolvimento que devem ser identificados antes de oferecer sólidos. O bebê deve ser capaz de controlar os músculos do pescoço e da cabeça e conseguir se sentar (sem apoio). Esse nível de habilidade se alinha, em geral, com o bebê que consegue manter a cabeça levantada por mais de um minuto quando está de bruços.

Há outros indicativos de prontidão. Seu bebê provavelmente já está pronto para comer alimentos sólidos quando dá sinais de fome mesmo depois de ingerir 960 ml de leite artificial por dia. O equivalente para o bebê que mama no peito é dar sinais de fome após fazer de seis a oito mamadas completas num período de 24 horas. Qualquer acordada anormal no meio da noite entre 16 a 24 semanas para o bebê que tem um padrão de sono noturno bem consolidado ou acordar mais cedo de sonecas profundas podem ser indicativos da necessidade de mais nutrição. Confira em *Além do nana nenê* detalhes específicos sobre o acréscimo de alimentos sólidos à dieta de seu bebê.

Micro-ondas e mamadeira

Os pais do bebê que toma mamadeira naturalmente desejará aproveitar as vantagens do micro-ondas para aquecê-la. *Afrouxe a tampa da mamadeira para permitir a expansão do calor, a fim de que ela não exploda*. Saiba que o forno micro-ondas aquece os alimentos de maneira desigual, criando partes mais quentes. Por isso, chacoalhe bem a mamadeira depois de aquecê-la e derrame um pouco de leite no pulso para testar o calor.

Uma vez que o calor excessivo pode destruir a qualidade de nutrientes do leite materno retirado, recomendamos que você evite usar o micro-ondas para descongelá-lo ou aquecê-lo. Em vez disso, coloque a mamadeira com leite materno em banho-maria.

Seja seu bebê alimentado por leite materno, seja por leite artificial, ele tomará uma mamadeira de vez em quando. É importante manter as mamadeiras e os bicos limpos e esterilizados. A forma mais segura de fazer isso é usando o esterilizador de mamadeiras para micro-ondas. Esse tipo de produto está disponível nas principais lojas para bebês e existe uma variedade de modelos e preços. A máquina de lavar louça pode fazer o serviço com um recipiente específico para colocar os bicos e outras partes pequenas, mas somente se você tem o costume de limpar bem as vasilhas antes de colocá-las na máquina (ou seja, se você não trata sua máquina de lavar louça como uma lata de lixo). Ajuda se você escoar a mamadeira e outras vasilhas que retêm água quando acabar o ciclo de enxaguar, para que possam secar bem durante o ciclo de secagem.

Morte súbita (SMSL)

A morte inesperada de um bebê saudável é chamada de síndrome da morte súbita do lactente (SMSL). É responsável por cerca de sete mil mortes relatadas por ano ao redor do mundo. Não é previsível nem evitável de nenhuma forma que conhecemos no presente. Há mais vítimas do sexo masculino, em especial entre bebês prematuros e ocorre com mais frequência em bebês de determinados grupos étnicos, filhos de mães solteiras jovens e em lares com pelo menos um fumante. A criança pode ser vítima da SMSL a qualquer momento do primeiro ano de vida, mas a porcentagem mais alta ocorre entre 2 e 4 meses. Morrem mais bebês de SMSL durante o inverno e nos climas mais frios.

Pesquisas sugerem que colocar o bebê para dormir de barriga para cima, em vez de deitá-lo de bruços, reduz o risco de SMSL.[4] Ainda não se sabe ao certo se dormir de barriga para cima é o fator primário ou secundário na redução do risco. O risco é removido porque a criança dorme de barriga para cima, sem encostar a boca e o nariz em superfícies macias e em objetos que retêm gases (colchões, travesseiros, protetores de berço)? Seriam esses os itens causadores da morte súbita ou o problema está ligado à biomecânica de dormir de bruços? É preciso aprofundar a pesquisa para responder a essas perguntas. Enquanto isso, sugerimos que você converse com seu médico se tiver dúvidas quanto à posição do bebê ao dormir e não se preocupe com a interferência da posição de barriga para cima na consolidação de padrões saudáveis de sono. Não encontramos nenhum indicativo a esse respeito.

Nascimento prematuro

Embora a maioria das gestações se estenda até quarenta semanas, um bebê nascido com 37 semanas já é considerado a termo. Os bebês que nascem antes de 37 semanas completas de gravidez são considerados prematuros. Nos anos de 1980, o índice de nascimentos prematuros ficava entre 3% e 5%. Hoje, o índice se aproxima de 13%. Há duas explicações para o aumento acentuado: o número de nascimentos múltiplos cresceu por causa dos avanços na fertilização *in vitro* e os avanços na obstetrícia e neonatologia aumentaram as chances de sobrevivência até para bebês bem pequenos, mesmo os que nascem 23 semanas depois da concepção.

Estima-se que o bebê que nasce com 23 semanas tem 17% de chance de sobreviver. A estatística para o bebê que nasce com 24 semanas é mais do que o dobro, 39% de chance. Um bebê que nasce com 25 semanas tem 50% de chance de sobrevivência. Se o mesmo bebê nascer com 26 semanas, a chance de sobreviver pula para 80%. De 32 semanas em diante, a maioria dos bebês consegue sobreviver sem intervenção médica.

Embora a maioria dos prematuros corra risco de desenvolver alguns problemas de saúde, quanto mais perto das quarenta semanas ele nascer, menor o risco de ter complicações sérias. O tamanho também é importante para o prematuro. O bebê que nasce com 32 semanas é significativamente menor do que o bebê de quarenta semanas. Isso causa desafios na alimentação, pois os prematuros comem devagar e só conseguem ingerir pequenas quantidades. Os pediatras especializados em nascimentos prematuros de alto risco costumam recomendar leites artificiais ricos em calorias e vitaminas ou fortificantes para ser acrescentados ao leite materno.

Como os nascimentos prematuros não costumam ser planejados, estar ciente dessa possibilidade e compreender seus riscos ajuda os pais a lidar com o inesperado. Há muitos *sites* médicos de confiança que fornecem informações atualizadas e abrem a oportunidade de responder perguntas relacionadas a nascimentos prematuros.

Nível de desenvolvimento

Os seres humanos são únicos e diferentes, mas compartilham semelhanças que servem de base para os níveis de desenvolvimento. Uma rotina básica potencializa a aprendizagem, pois a ordem e a previsibilidade são aliadas naturais do processo de aprendizado. Não se esqueça do princípio do efeito dominó: uma boa rotina incentiva o sono saudável, e bebês que dormem bem têm ótimo nível de alerta enquanto estão acordados. Isso facilita sua interação com o ambiente. O resultado é que essas crianças são confiantes e felizes, menos exigentes e mais sociáveis, seguras e saudáveis. Têm um intervalo de atenção maior, autocontrole e capacidade de concentração. O resultado é que aprendem mais rapidamente.

Há certa uniformidade no desenvolvimento infantil, isso significa que os bebês diferem pouco em idade na qual alcançam novos níveis. Se seu bebê parece estar indo num ritmo mais devagar do que o filho da vizinha, não é um motivo automático para se preocupar. O dentinho de um bebê aponta aos 4 meses e do outro aos 6 meses. Isso não é um problema, apenas uma diferença, refletida na variação de normas que você encontrará nos livros sobre bebês (inclusive neste). No entanto, caso seu bebê não adquira uma habilidade dentro das tabelas de expectativas normais, pode ser um sinal de problema muscular ou neurológico. Por exemplo, os pediatras se preocupam quando um bebê de 2 meses nascido a termo não consegue levantar a cabeça quando deitado de bruços. Também se preocupam se um bebê de 3 meses nascido a termo cruza as pernas quando levantado por sob os braços, ou se o pescoço não tem controle muscular para apoiar a cabeça quando pego de barriga para cima. A compreensão dos vários marcos de desenvolvimento pode ajudar os pais a fazer uma avaliação geral do progresso do filho. Caso sinta que seu bebê está atrasado no desenvolvimento, consulte o médico. O termo *atraso no desenvolvimento* se aplica a crianças que não crescem de acordo com as normas estabelecidas.

Os prematuros, que constituem cerca de 12% dos bebês nascidos nos Estados Unidos, seguem normas diferentes e ficarão atrás dos bebês nascidos a termo nos níveis de desenvolvimento durante os primeiros 2 anos de vida. A boa notícia é que eles costumam se igualar aos bebês nascidos a termo em todas as categorias de desenvolvimento por volta dos 2 anos.

Vacinas[5]

A possibilidade de proteger as crianças das tragédias de muitas doenças infecciosas como a poliomielite, a difteria e o sarampo é uma das grandes bênçãos da atualidade. Para trazer essa bênção a sua casa, certifique-se de que seus filhos tomem todas as vacinas recomendadas na hora certa. Como os calendários de vacinação mudam com frequência, à medida que novas vacinas ficam disponíveis, adquira o hábito de pedir ao pediatra uma tabela atualizada de vacinas para seu filho desde a primeira infância até a época da faculdade. As últimas recomendações de vacinas para bebês do centro de controle e prevenção de doenças na época da escrita deste livro incluem vacinas contra:

- Hepatite B
- Rotavírus
- DTP + Hib (Difteria, tétano, coqueluche e infecções provocadas pela bactéria *Haemophilus influenzae* tipo b)
- Pneumocócica conjugada
- Poliomielite
- Gripe (sazonal)
- Tríplice viral (sarampo, rubéola e caxumba)
- Catapora
- Hepatite A

Embora a internet seja uma fonte valiosa de informações de saúde, muitos sites *contêm informações falsas e enganosas sobre a segurança das vacinas.* Com frequência, recebemos perguntas sobre a controvérsia ligada ao calendário alternativo de vacinação do dr. Robert Sears, que os especialistas, com razão, chamam de um completo "erro de representação da ciência de vacinação". Por favor, confira as advertências públicas da AAP, da ACP (American College of Pediatricians [Faculdade Norte-Americana de Pediatra]) e do CDC (Center for Disease Control and Prevention [Centro de Controle e Prevenção de Doenças]) em Atlanta.[5]

Consulte o pediatra de seu bebê caso tenha dúvidas sobre vacinas e imunização de modo geral, mas, por favor, vacine seus filhos!

10

Múltiplos: uma festa sem fim

Por Eleanor Womack

Um bebê é uma grande bênção e um parto múltiplo significa bênçãos multiplicadas para os pais. Mas com gêmeos, trigêmeos ou mais, sua alegria será acompanhada de uma boa dose de trabalho. É uma simples questão de soma, ou melhor, de multiplicação!

Cuidar dos filhos exige organização e planejamento, mas isso se aplica de maneira especial aos múltiplos, pois, quando acontece algo inesperado, o elemento imprevisível se multiplica. Quem tem só um bebê comete um erro de cada vez; os pais de trigêmeos tendem a cometer os mesmos erros em dose tripla. O lado bom é que, quando as coisas saem direito, o sucesso é multiplicado.

Em nossa casa, gostamos de pensar que cuidar de nossos trigêmeos é como uma festa que nunca acaba. Quando nossos três meninos eram prematuros pequeninos e precisavam ser alimentados a cada três horas, considerávamos as horas de comer uma oportunidade para diversão e convivência em família. Os "alimentadores" se assentavam juntos no mesmo ambiente e conversavam sobre o dia, contavam piadas e histórias ou cantavam. Mesmo às 3 da manhã, nós nos animávamos em nossa labuta pelo compromisso mútuo de encarar aquele momento como uma oportunidade de socializar.

Desde a mais tenra idade, as crianças percebem sua atitude. Se você abordar o cuidado delas como uma espécie de fardo ou trabalho penoso, seus filhos reagirão como um fardo e você sentirá que cuidar deles é mesmo um trabalho penoso. Em vez disso, considere cada dia uma aventura e saiba que cada etapa do desenvolvimento de seus filhos é preciosa.

Levando-os para casa

Gestações de múltiplos apresentam alto risco de prematuridade. Portanto, um grande desafio, desde o começo, é cuidar de bebês minúsculos em dose múltipla. Seus bebês podem permanecer na Unidade de Tratamento Intensivo neonatal (UTI neonatal) do hospital por um período. Eles podem ir para casa um de cada vez, à medida que atingem um peso seguro e desenvolvem a habilidade de sugar. Podem levar consigo monitores cardíacos e de apneia. (O monitor de apneia dá certeza de que a criança está respirando.)

Berços: quando os bebês são muito novinhos, eles não se mexem muito sozinhos. É perfeitamente aceitável que você coloque dois ou até três bebês pequenos no mesmo berço. Sugerimos que você os separe quando estiverem grandes o suficiente para se mexer dentro do berço, a fim de eliminar o perigo de um sufocar o outro.

Fraldas: trigêmeos usam de 24 a 30 fraldas por dia; portanto, o custo das fraldas pode se tornar um item significativo no orçamento doméstico. Analise suas opções. Considerando apenas o custo mais baixo, você pode querer comprar fraldas de pano e lavá-las em casa. Mas quando pondera a necessidade de lavagens diárias, o custo em tempo e inconveniência é considerável. Além disso, a fralda de pano inclui um custo oculto, por aumentar a incidência de assaduras. Os bebês não conseguem passar tanto tempo sem trocar a fralda de pano quanto a descartável, pois a fralda de pano tem menor capacidade de absorção e causa mais desconforto quando molhada. Os pais de múltiplos têm dificuldade de saber quem já foi trocado e quem precisa de uma fralda limpa, quanto mais de conferir quem está molhado ou seco em horas inesperadas.

As fraldas descartáveis são úteis porque o bebê não sente desconforto nem mesmo quando uma fralda molhada é esquecida. Serviços profissionais de lavagem de fraldas são mais baratos do que as fraldas descartáveis, mas você precisará lidar com uma quantidade multiplicada de fraldas molhadas e malcheirosas esperando ser recolhidas a cada semana. Eu prefiro as fraldas descartáveis, mas, por causa dos custos, incentivo os pais a tentar um serviço profissional de lavagem de fraldas e ver se conseguem manter os bebês trocados e confortáveis. Se esse serviço funcionar para você, é possível que note uma economia significativa.

Você precisa de ajuda

Ao aconselhar futuras mães de múltiplos, digo que o pior erro que podem cometer é presumir que conseguirão lidar com o desafio sozinhas. Com frequência, o orçamento é pequeno e contratar ajuda profissional está fora de cogitação. Por isso, mãe e pai se propõem a realizar todas as tarefas ligadas ao cuidado das crianças por conta própria. Não cometa esse erro! Não dá para fazer tudo sozinha.

Não é necessário gastar dinheiro para conseguir ajuda. Há diversas alternativas. Em geral, os parentes amam ajudar, especialmente se os bebês seguem um horário para comer e dormir. Algumas escolas de ensino médio, faculdades, seminários e instituições judaicas de ensino perto de sua casa podem oferecer aulas sobre desenvolvimento infantil. Sua casa pode ser um laboratório de aprendizagem para alguns alunos de coração bondoso e para o professor. As igrejas e sinagogas estão cheias de pessoas disponíveis para estender uma mão ajudadora – basta pedir. Se um dos bebês ou mais for para casa usando monitores, você pode se candidatar para o serviço de enfermagem domiciliar, possivelmente pago pelo governo. Para saber mais sobre essa possibilidade, pergunte ao assistente social ligado à UTI neonatal de seu hospital ou ao pediatra.

Quando as pessoas perguntarem se podem ajudar, sempre diga: "Sim, claro!". Mantenha um planejamento diário à mão, para poder dar a todos que oferecerem ajuda uma data e um horário exatos em que poderão lhe ser úteis e lhes atribua uma função imediatamente. Você pode pedir ajuda para cuidar dos bebês ou, se o tempo dos voluntários for limitado, pedir que ajudem com uma tarefa semanal previsível, como idas à lavanderia, ao supermercado e à farmácia. Delegar é um dos segredos para preservar sua sanidade ao cuidar de múltiplos.

Alimentação

Você vai amamentar? Com frequência, a mãe de múltiplos pode amamentar. Você e seus filhos é que devem determinar se essa é a escolha certa. Vai depender muito da maturidade dos bebês por ocasião do nascimento, se eles precisarão ficar na UTI neonatal, se você passou por uma cesariana e quantos bebês teve. As mães de gêmeos têm mais sucesso na amamentação do que mães de trigêmeos. Se os bebês deixarem o hospital e forem para casa com você, será muito mais fácil estabelecer um padrão de amamentação.

Conforme explicado no capítulo 4, o leite materno é um alimento completo e perfeito. É digerido com facilidade, proporciona nutrição excelente e contém o equilíbrio certo de proteínas e gorduras. Também provê anticorpos adicionais que ajudam a fortalecer o sistema imunológico do bebê. Caso seus bebês estejam na UTI neonatal, mesmo se não planejar amamentá-los diretamente, você pode dar leite materno para eles usando uma bomba elétrica de tirar leite. Muitos pediatras recomendam essa prática e as companhias de seguro-saúde costumam reembolsar à mãe o aluguel do equipamento enquanto o bebê estiver na UTI. Os bebês prematuros se beneficiarão de maneira especial dos anticorpos encontrados no leite materno, mas não se sinta culpada se fornecer leite materno não funcionar para você nem presuma que os bebês alimentados com leite artificial crescerão doentes. Isso não é verdade.

Cada um de seus bebês é diferente. Você pode planejar amamentar todos eles, mas descobrir que um prefere a mamadeira ao seio. Algumas mães conseguem amamentar todos os múltiplos num sistema de rodízio: um dos bebês mama no peito enquanto os outros recebem uma mamadeira. Outras mães produzem leite suficiente para alimentar os trigêmeos. Uma boa bomba elétrica é muito útil para estimular e manter a produção de leite para múltiplos. É possível que você consiga extrair leite depois de alimentar um ou dois bebês para que o terceiro ou quarto tome leite materno na mamadeira. A amamentação pode se tornar muito fácil depois de consolidada e aprendida pela mãe e pelos bebês, mas não é fácil começar, em especial após o estresse de uma gravidez de alto risco. Por favor, diminua as expectativas a seu respeito e procure bons conselhos de um especialista em lactação. A amamentação de múltiplos não é algo que funciona naturalmente. O mais provável é que você precise de orientação.

Se seus recém-nascidos nascerem prematuros e com baixo peso, eles provavelmente dormirão a maior parte do tempo. Talvez você descubra que eles dificilmente acordam e dormem mesmo quando você está trocando a fralda deles, dando banho neles e os alimentando. Os prematuros reagem aos estímulos se retirando e dormindo. Não procure fazê-los ficar acordados. Faça seu melhor para alimentá-los, mas não tente por mais de trinta minutos a cada duas horas e meia a três horas. Não deixe passar mais de três horas entre o início de uma mamada e o começo da próxima. Tente alimentar e colocar para arrotar cada bebê por trinta minutos e o ponha para dormir durante as duas horas e meia restantes do ciclo. Faça isso mesmo se o bebê não estiver sugando com eficiência, se houver recebido apenas uma fração da quantidade normal ou se regurgitar uma quantidade significativa do que foi ingerido. Recomendamos que você não tente alimentar de novo o bebê que regurgitou se o limite de trinta minutos já houver se esgotado. Caso o bebê regurgite depois de mais ou menos dez minutos, tente alimentá-lo de novo até o tempo acabar.

Outro aspecto importante da alimentação de recém-nascidos e prematuros é investigar sua hidratação. Cada bebê deve molhar de seis a oito fraldas por dia. Caso você esteja amamentando, essa será a única pista de que eles fizeram a pega correta e estão consumindo uma quantidade adequada de leite. No caso de múltiplos, em especial de três bebês ou mais, saber quem molhou a fralda e quem não pode se tornar um desafio. Nas primeiras semanas após o parto, com toda a privação de sono, você pode perder o controle até das coisas mais óbvias; então anote. Mantenha as tabelas de Crescimento Saudável do Bebê ao lado do trocador e as atualize sempre. Tente colori-las, atribuindo uma cor diferente para cada criança. Isso facilitará o registro do progresso de cada um.

À medida que os bebês se desenvolverem, ficará mais fácil alimentá-los e provavelmente você conseguirá dar de mamar a cada um em menos de trinta minutos. Siga à risca a ordem de comer, ficar acordado e dormir para cada bebê. Quando um acordar à noite para comer, acorde todos e os alimente. No entanto, quando um acordar mais cedo da soneca, resista à tentação de recompensá-lo com uma mamada. Em vez disso, confira se a fralda está suja, acalme o bebê e deixe a criança se confortar e voltar a dormir.

O sono dos múltiplos

O sono dos múltiplos é crucial para a felicidade deles e para sua paz de espírito. Ao cuidar de recém-nascidos – em especial de dois ou mais bebês pequenos e prematuros –, a tentação é se concentrar apenas no quanto eles comem, com que frequência e se estão ganhando peso constantemente. Meu marido e eu aplicamos os princípios da AOP aos nossos trigêmeos desde o nascimento e já aconselhamos muitos pais de múltiplos a fazer o mesmo. O verdadeiro segredo para comer e ganhar peso é o sono. Se você quer que seus filhos comam e cresçam, ensine-os a dormir. Um bebê bem descansado come. Um bebê exausto, agitado e privado de sono chora, fica inquieto, suga sem eficiência e regurgita vez após vez.

Talvez você fique com medo de que os bebês acordem com fome uma hora depois de colocá-los para dormir se não fizeram uma mamada completa. Eu ficava! A surpresa é que eles tendem a acordar na hora da próxima mamada, mais descansados e prontos para fazer uma refeição completa. De modo geral, os recém-nascidos cujos pais se concentram no sono, não nas calorias, acabam mais bem nutridos, pois descansam melhor, têm uma digestão melhor e estão prontos para sugar com força.

À medida que seus múltiplos se desenvolverem, eles passarão a ter horas de ficar acordado e horas de comer definitivas. Quando são recém-nascidos ou prematuros, quase sempre caem no sono enquanto você os alimenta, ou talvez nem acordem para a mamada. Enquanto vão ficando mais velhos, continuam a demonstrar sonolência nas mamadas, mas, com um pouco de estímulo, você pode despertá-los por completos e deixá-los prontos para brincar depois de comer. As atividades da hora de ficar acordado com múltiplos sempre devem incluir um momento independente de brincadeiras. Quando chegar a hora da soneca, os bebês podem demonstrar que estão prontos por ficarem mais irritadiços e não se distraírem com facilidade, ou estar bem acordados e alegres. Coloque-os no berço acordados! Logisticamente, é impossível embalar dois, três ou mais bebês até dormirem a cada soneca. Seus bebês precisam aprender a se acalmar sozinhos. Na verdade, todos os bebês necessitam aprender a ter paciência e como se acalmar, pois são habilidades fundamentais para a vida. O fato de mãe e pai terem apenas um colo e dois braços impõe limites inevitáveis. A capacidade de se acalmar sozinho tem importância especial quando os bebês estão doentes ou sob estresse. Se aprenderam a habilidade de dormir no início da vida, procurarão dormir quando se sentirem cansados, em vez de se estressar ainda mais com choro e resmungos.

Se seus múltiplos dividirem o mesmo quarto desde o nascimento, eles não acordarão um ao outro. Aprenderão a isolar o choro do irmão, portanto, não os separe quando um estiver irritado. Quando os pequenos estiverem passando por uma crise difícil de choro, você pode entrar a cada dez minutos para fazer carinho, garantir que está por perto e conferir se a fralda está suja ou molhada. Você servirá de guia, ensinando-os a se acalmar sozinhos. Fique no quarto o suficiente para ajudá-los a parar de chorar, mas não espere até caírem no sono. Seu objetivo é colocá-los no berço acordados, para que caiam no sono por conta própria — sem um processo de transição, como ninar ou fazer carinho nas costas. Isso é mais desafiador do que parece, por causa do esforço físico necessário para cuidar de múltiplos.

Você precisa iniciar e terminar cada ciclo de comer – ficar acordado – dormir de forma relativamente estruturada. Leva cerca de quinze a vinte minutos para pegar três bebês no colo, trocar a fralda de cada um e colocá-los no berço para tirar uma soneca. Uma armadilha comum é permitir que os bebês caiam no sono na cadeira ou no balanço na hora das atividades de ficar acordado. Os pais se ocupam com uma tarefa doméstica, atendendo ao telefone ou resolvendo o problema de um dos bebês e descobrem que os outros dormiram sentados. Embora eles tenham caído no sono sozinhos, não o fizeram no lugar certo: o berço. Se isso acontecer com frequência, eles podem ter dificuldade em aprender a se acalmar quando deitados no berço. Sempre haverá situações inesperadas para resolver, mas tente se planejar com antecedência e colocar os bebês no berço acordados quando você não estiver lidando com uma distração. Dessa maneira, o fato de caírem no sono sentados será um acontecimento raro, não um hábito.

Em relação ao sono, a primeira pergunta que recebo dos pais de múltiplos é esta: "Nossos bebês têm 4 meses e comem a cada quatro horas, mas não dormem a noite inteira. Por quê?". Incentivo esses pais a experimentar uma agenda de alimentação rigorosa a cada três horas durante o dia e promover o sono à noite. Em geral, recebo uma ligação três dias depois para ouvir sobre o "milagre" de que um ou todos os bebês agora dormem por oito horas durante a noite!

Esta é a primeira regra para o sono noturno: não seja tentado a espaçar o tempo entre as mamadas diurnas até que os bebês estejam dormindo no mínimo de nove a dez horas por noite. Eles precisam ser alimentados a cada três horas durante o dia para diferenciar o dia da noite, mas também para garantir que suas necessidades nutricionais estão sendo atendidas. Uma rotina básica de três em três horas cumpre os dois objetivos.

À medida que continuam a crescer, surge um novo desafio: entre 6 e 9 meses de idade, seus bebês descobrem um ao outro. É aí que a festa começa de verdade! O problema é que eles se divertem demais entretendo um ao outro. Eles não acordam com o choro do outro, mas, sim, com o riso e as brincadeiras. Têm amiguinhos que moram dentro de casa. Algo que pode ajudar nessa situação é dar um brinquedo para o que acordou primeiro brincar quietinho no berço, enquanto os irmãos continuam a dormir. Em nossa família, colocamos brinquedos pequenos e silenciosos dentro do berço de cada criança depois que caem no sono. Assim, quem acordar primeiro brincará em silêncio e de forma independente com o brinquedo.

Seja firme ao desencorajar seus filhos a sair do berço sozinhos. Todos os bebês devem permanecer no berço até receberem permissão para sair, mas, quando há múltiplos, existe mais um problema de segurança com que se preocupar: a ameaça que a criança em movimento constitui à outra quando não há adultos por perto. Convencemos nossos trigêmeos de que entrar e sair do berço era impossível sem a ajuda de uma escadinha. Quando não havia escadinha, eles não entravam no berço nem saíam de lá. Dormiram no berço até completar 3 anos, sem nenhum episódio de entrar ou sair sem autorização.

Rotina

A rotina de cada bebê não deve variar, mas agenda de comer e dormir de um bebê em relação aos outros é afetada por vários fatores. Quantos bebês são? Quantas pessoas estão disponíveis para alimentá-los? Você está amamentando? Cada bebê teve ter uma hora de comer, de ficar acordado e de dormir. Não mude a ordem, com exceção da mamada tarde da noite (depois dela, não há hora de ficar acordado) e dos bebês prematuros, que não têm maturidade neurológica suficiente para tolerar a hora de ficar acordado.

Se você tem trigêmeos e só há um adulto responsável por eles na maior parte do tempo, você pode escolher alternar os horários dos bebês, para que não coincidam. Veja como funciona: a pessoa responsável pela alimentação (provavelmente você) começa o processo em determinada hora com o Bebê A, termina meia hora depois e passa para o Bebê B, enquanto o Bebê A fica acordado na cadeira de balanço por perto. No início da hora seguinte, o Bebê C acorda para mamar e o Bebê A está pronto para tirar uma soneca. Quando os três bebês estiverem alimentados, haverá uma hora e meia até o ciclo começar de novo. Se houver duas pessoas na casa que podem alimentar os bebês, você pode colocar dois bebês para comer ao mesmo tempo.

Com mais ajuda, todos os bebês numa casa com trigêmeos ou gêmeos pode ficar aproximadamente no mesmo horário. Com dois ajudantes, três bebês podem se alimentar ao mesmo tempo. Os bebês comem em velocidades diferentes; por isso, haverá um que se alimenta de modo mais rápido e outro que come mais devagar. Depois de descobrir quem come mais rapidamente e quem come mais devagar, você pode organizar um sistema no qual um ajudante alimente aquele que demora mais, enquanto a outra pessoa alimenta o mais rápido e o de velocidade intermediária. A mãe que amamenta pode alimentar dois bebês ao mesmo tempo, enquanto alguém dá uma mamadeira ao terceiro bebê.

Hora de ficar acordado

Você não precisará se concentrar na hora de ficar acordado nas primeiras semanas que seus bebês estiverem em casa, mas logo eles permanecerão acordados durante a mamada inteira e começarão a se interessar pelo mundo ao redor. Uma cadeirinha reclinável na posição vertical é o lugar perfeito para colocar o bebê nesses primeiros períodos de ficar acordado. A cadeirinha permite que o bebê olhe em volta e balance os braços e as pernas ao mesmo tempo em que permanece com a coluna reta. Essa posição desestimula a regurgitação, incidência comum em bebês que ficam deitados na horizontal. As cadeiras reclináveis também serão úteis mais tarde para dar uma mamadeira ou iniciar a alimentação de sólidos quando os bebês ainda serão muito pequenos para sentar no cadeirão. Nunca, porém, deixe um bebê na cadeirinha sem supervisão.

As atividades da hora de ficar acordado para os múltiplos não exigem que você tenha três de tudo. Os bebês se cansam da maioria das atividades depois de dez a vinte minutos, então você pode montar estações de brincadeiras que se intercalam: um bebê fica no balanço, outro no cercadinho com um chocalho e o terceiro na cadeira de balanço brincando com outro chocalho, ou sentado com a mãe cantando uma música e brincando com ela. Mude os bebês para a outra atividade em intervalos de quinze minutos.

Atenção individual é essencial para a felicidade dos múltiplos. Eles precisam de momentos individuais de brincadeira todos os dias e também de atenção individual da mãe e do pai. Por questão de necessidade, temos a tendência de pensar nos múltiplos como uma unidade. Alimentamos, trocamos, vestimos e banhamos todos ao mesmo tempo. É muito mais fácil garantir que você está sendo justo e que as necessidades de todos são atendidas quando os bebês têm os mesmos horários e fazem todas as principais atividades do dia de forma coletiva. No entanto, a estruturação da hora de ficar acordado e o planejamento das brincadeiras dos bebês podem dar um tempo na monotonia do cuidado dos bebês por atacado. Por exemplo, deixe os bebês com seu cônjuge ou um ajudante, com exceção de um e o leve para fazer uma caminhada ou para resolver algo em uma loja com você. Ou apenas leia uma história para ele enquanto os outros brincam de maneira independente.

Quando começam a andar, os múltiplos se percebem num mundo em que sempre há alguém do tamanho deles para agarrá-los ou pegar o brinquedo que estavam prestes a usar. O tempo no cercadinho se torna um momento de refúgio. A criança pode fazer o que quiser no cercadinho sem ser interrompida e sem que ninguém pegue suas coisas. Você pode ter apenas um de praticamente todos os equipamentos, mas um cercadinho para cada criança é um ótimo investimento. O tempo no cercadinho também proporciona um alívio bem-vindo para a mãe: ela pode atender ao telefone ou fazer o almoço enquanto as crianças brincam com segurança. Comece a praticar o tempo no cercadinho quando os bebês tiverem de 3 a 4 meses de idade. Comece com apenas dez minutos por dia e aumente aos poucos até que, com 1 ano, eles consigam ficar no cercadinho por no mínimo quarenta minutos.

Um recado para os maridos

O segredo para uma vida familiar harmoniosa é um relacionamento saudável entre marido e mulher. Todos os outros relacionamentos no lar são impactados — de maneira positiva ou negativa — por esse relacionamento primordial. Esforce-se para isso e o proteja com sua vida! Você será um pai tão bom quanto é marido. É por isso que é essencial ao pai ajudar em casa, especialmente quando há mais de um bebê. Sua esposa só conseguirá ouvir você, se abrir e desfrutar sua companhia, se sentir seu apoio e incentivo. Sua esposa é a principal responsável por alimentar, trocar fraldas, dar banho, ensinar e entreter os bebezinhos que lhes foram confiados. Ela não tem momento de descanso: precisa ficar calma e controlada 24 horas por dia, para poder fazer avaliações e escolhas importantes que são parte da vida diária dos bebês. Quanto mais você valorizar e servir sua esposa, mais receberá em troca, em lindas formas, o composto de uma mãe sábia e equilibrada e de filhos tranquilos e seguros.

Anexo 1

Cuidados com a mãe e o bebê

Os dias e as semanas logo após o nascimento são um período frenético para a mãe e o pai, já que a curva de aprendizagem está inclinada para se ajustar ao novo bebê em casa. Eles ficam bem atentos para se certificar de que tudo está acontecendo de acordo com o que os livros e as tabelas consideram normal, mas o desafio para a maioria das mães e dos pais de primeira viagem é descobrir como é o "normal" na situação deles. Acreditamos que esta seção ajudará a esclarecer as dúvidas que surgem durante as primeiras semanas de adaptação.

Este anexo se divide em duas partes: o desenvolvimento do recém-nascido, associado às características de crescimento que os profissionais da saúde esperam encontrar, e os desafios físicos e emocionais enfrentados pela mãe no pós-parto. Quanto mais os futuros pais compreenderem as mudanças que acontecerão depois da chegada do bebê, mais bem preparados estarão até mesmo se o inesperado acontecer.

Escala de Apgar

É provável que você já tenha ouvido outros pais falarem sobre a nota do bebê na escala de Apgar, mas talvez ainda não entenda por completo o que isso significa ou como é usado para avaliar a saúde de um recém-nascido. A escala foi desenvolvida e aperfeiçoada em 1952 pela dra. Virginia Apgar, que a usava para investigar os efeitos da anestesia de parto sobre os recém-nascidos. Com o tempo, seu teste se tornou o instrumento normativo para ajudar os médicos a determinar o estado de saúde dos bebês ao nascer. A escala mede cinco áreas cruciais da vitalidade do recém-nascido um minuto após o nascimento e cinco minutos depois. Cada aspecto recebe um valor e a soma total constitui a nota. Uma nota de 7 a 10 é considerada normal e indica um bebê em boas condições. Uma nota de 4 a 6 indica um bebê que provavelmente necessita de assistência respiratória e de 0 a 3 aponta para a necessidade de intervenção para salvar a vida. Esta é uma tabela básica da escala de Apgar:

APGAR	0	1	2
Aparência *(cor)*	Azul ou rosa pálido	Corpo rosado, com as extremidades azuis	Rosado
Pulso *(frequência cardíaca)*	Ausente	Abaixo de 100 por minuto	Acima de 100 por minuto
Reflexo *(reação a estímulos)*	Sem reação	Careta	Choro vigoroso
Atividade *(tônus muscular)*	Ausente	Um pouco de movimentação	Boa movimentação
Respiração *(ritmo da respiração)*	Ausente	Choro fraco, lento e irregular	Choro forte e robusto

Fatos básicos sobre recém-nascidos

Todos os recém-nascidos são dotados de necessidades semelhantes, características e reflexos que são considerados normais e fazem parte de tudo que nos torna humanos. Descobrir as peculiaridades de seu bebê é mais do que um passatempo; é uma necessidade do cuidado completo, que começa quando você passa a se familiarizar com as características físicas da criança. O que você precisa saber?

Características de um recém-nascido

Cabeça:

- Mede 25% do tamanho do corpo do bebê.
- Tem de 32 a 35 cm de circunferência.
- Os músculos do pescoço são frágeis, por isso a cabeça do bebê precisa estar apoiada o tempo inteiro.

Fontanelas (moleiras):

- Áreas do crânio que ainda não se encaixaram e ficam unidas por uma membrana. (A moleira é o lugar em que o crânio ainda não se formou totalmente, abrindo espaço para o crescimento impressionante do cérebro durante o primeiro ano de vida, no qual ocorre mais de 50% do crescimento total da cabeça do bebê).
- A fontanela anterior (no topo da cabeça) se fecha mais ou menos aos 18 meses de vida.
- A fontanela posterior se fecha por volta dos 3 meses de idade.

Cabelo:

- Alguns bebês nascem cabeludos; outros, sem nem um fio de cabelo sequer.
- Não é incomum alguns bebês perderem parte do cabelo ou todo ele semanas após o nascimento.

Hiperplasia sebácea:

- Bolinhas brancas parecidas com espinhas na testa, no nariz e nas bochechas do bebê.

• Quase 50% dos recém-nascidos apresentam hiperplasia sebácea. Não se trata de uma doença contagiosa e a maioria dos casos desaparece ao longo do primeiro mês de vida; em alguns casos mais raros, pode durar até três meses. Não existe tratamento para essa condição, apenas esperar a ação do tempo.

• A causa exata é desconhecida, mas a hiperplasia sebácea pode se desenvolver quando minúsculas escamas da pele ficam presas em pequenos bolsos perto da superfície do tecido epitelial. Não tente remover as bolinhas. Entre em contato com o médico do bebê.

Olhos:

• Cor: os bebês de pele branca costumam nascer com olhos azuis. Em geral, a cor permanente dos olhos fica evidente entre 6 meses e 1 ano de idade. Os bebês de ascendência africana e asiática normalmente nascem com olhos castanhos e a cor não muda.

• Os recém-nascidos nascem estrábicos porque os músculos dos olhos ainda não amadureceram. Se os olhos de seu bebê continuarem a vagar depois dos 3 meses de idade, entre em contato com o pediatra.

• Aos 6 meses, os olhos do bebê devem focar juntos. Se isso não estiver acontecendo, peça ao pediatra para lhe recomendar um oftalmologista.

• Pode haver inchaço ou saída de líquido dos olhos do bebê por causa dos antibióticos usados por ocasião do nascimento.

• Os canais lacrimais começam a produzir lágrimas por volta da segunda ou terceira semana de vida.

Sentido: visão

• Os recém-nascidos possuem plena capacidade visual no que se refere à mecânica do olho, mas o centro do cérebro que controla a visão ainda não se encontra totalmente desenvolvido. É por isso que os bebês nascem míopes, ou seja, os objetos distantes parecem embaçados. Estima-se que os recém-nascidos são capazes de ver objetos de 20 a 35 cm de distância.

• Ao nascer, os bebês conseguem ver cores fortes e contrastantes. A visão completa das cores só se desenvolve aos 3 ou 4 meses de idade. A partir de então, conseguem enxergar nuances e cores claras.

Sentido: audição

• O bebê ouve relativamente bem logo após o nascimento, mas não com perfeição. O teste da orelhinha (ou triagem auditiva neonatal) é uma prática comum e costuma ser realizado antes de o bebê receber alta do hospital. Pergunte ao pediatra se o procedimento faz parte do protocolo.

• Os bebês costumam considerar os barulhos altos perturbadores e se acalmam com sons suaves.

Sentido: tato e paladar

• Ambos já estão bem desenvolvidos por ocasião do nascimento.

• Pesquisadores descobriram que muitos bebês são capazes de distinguir o leite da mãe do leite de outra mulher.

Pele:

• O "lanugo" (pelos finos, com aspecto de penugem) às vezes está presente no corpo do bebê ao nascer. Ocorre com mais frequência em bebês prematuros e, em geral, desaparece dias ou semanas depois por conta própria.

• Pele seca, escamosa. A condição costuma estar ligada à descamação e ocorre de 2 a 3 semanas após o parto, e em bebês que nascem depois de quarenta semanas de gestação.

• Pele avermelhada. A pele do recém-nascido muitas vezes tem um tom avermelhado e, nos primeiros dias, as mãos e os pés podem ter uma nuance azulada. À medida que a circulação do bebê melhora, a coloração da pele se torna mais consistente.

• Brotoeja. A brotoeja pode aparecer se o bebê estiver com roupas demais ou com uma roupa feita de tecido que causa irritação. Cerca de metade dos recém-nascidos desenvolve brotoeja inofensiva, formada por pequenas bolas vermelhas que desaparecem sozinhas, em geral dentro de uma semana. Caso sinta preocupação, entre em contato com o pediatra.

• Marcas de nascença. Existe uma série de classificações de marcas de nascença (como as manchas vermelhas, salmão e de vinho) e sinais que aparecem em recém-nascidos ao nascer.

• "Manchas mongólicas". Trata-se de uma descoloração arroxeada ou azulada da pele na parte de baixo das costas ou no bumbum. Normalmente, desaparece após o primeiro ano de vida. Essas manchas não têm nenhuma ligação antropológica conhecida com o povo da Mongólia, além do fato de serem mais comuns em bebês de pele escura. Pelo menos uma mancha se apresenta na maioria dos bebês negros, asiáticos e hispânicos. Cerca de 10% dos bebês de pele branca nascem com essas marcas de nascimento.

Respiração:

• Ritmo da respiração dos recém-nascidos: trinta a sessenta ciclos de respiração por minuto. É normal que a respiração seja irregular e superficial. De noite, alguns bebês respiram fazendo barulho.

• Os soluços são normais e muitas mães sabem quando o bebê está soluçando durante a gravidez. Quando o diafragma amadurece, os soluços deixam de ser frequentes.

Extremidades:

• Os braços e as pernas do bebê são desproporcionalmente curtos para seu corpo. Também é normal que os braços fiquem inclinados e segurados junto ao peito com as mãozinhas fechadas.

• As pernas do bebê ficam numa posição semelhante à adotada dentro do útero e é normal que a maioria dos recém-nascidos pareça ter as pernas tortas.

• Ao nascer, as unhas costumam ser longas, macias e dobráveis. É importante cortá-las toda semana, para impedir o bebê de arranhar o rosto. À medida que o bebê cresce e fica mais alerta e consciente do que acontece ao redor, cortar as unhas passa a ser um desafio. A forma mais segura e fácil de cortar as unhas é quando o bebê está dormindo ou logo após o banho, quando está relaxado e as unhas um pouco mais macias. Existem cortadores de unha para bebês disponíveis nas farmácias. (Não use o cortador para adultos em seu bebê.)

Reflexos:

• O bebê já nasce com alguns reflexos. A maioria deles é fundamental para a sobrevivência. Eles também são indicadores fortes da vitalidade e da saúde do sistema nervoso central. Por isso, são testados com frequência nos vários exames de rotina do bebê. À medida que o bebê amadurece, é normal que alguns reflexos desapareçam e outros mudem. É importante que os pais tenham uma compreensão básica de como funcionam os reflexos, pois isso revela como o bebê está e ajuda os pediatras a avaliar a normalidade do cérebro e da atividade neurológica. Embora existam cerca de noventa reflexos identificados, os dez mais comuns são:

- Reflexo de sucção: esse reflexo já fica ativo dentro do útero e é muito forte ao nascer, pois é necessário para a alimentação. Em geral, qualquer estimulação dos lábios do bebê suscitará a reação de sugada. Com frequência, os bebês sugam o próprio polegar, seus dedos ou a mão fechada.
- Reflexo da deglutição: esse reflexo também se faz presente antes do nascimento, pois os bebês engolem e excretam líquido amniótico dentro do útero.
- Reflexo do vômito: impede o sufocamento.
- Reflexo de busca: acontece quando o bebê gira a cabeça em reação a estímulos para receber alimento.
- Reflexo da tosse: ajuda a eliminar o muco das vias aéreas.
- Reflexo de preensão: se você colocar o dedo dentro da palma da mão de seu bebê, ele a apertará. Com frequência, numa força suficiente para levantar a parte de cima de seu corpinho.
- Reflexo de marcha: se o bebê for segurado para cima pelas axilas na posição vertical, as perninhas do bebê farão movimentos de passos.
- Reflexo de Babinski: muitos anos atrás, o dr. Joseph Babinski descobriu que, quando acariciava firmemente a sola do pé de um bebê, o dedão se estende para cima e os outros dedos se abrem. Esse reflexo pode continuar até os 2 anos de idade. (Se prosseguir depois disso, pode ser sinal de algum dano no sistema nervoso.)
- Reflexo tônico do pescoço: esse reflexo acontece quando o bebê vira a cabeça para um dos lados: o braço e a perna do mesmo lado ficam estendidos, enquanto os do outro lado se dobram. Ele está ligado à habilidade do bebê de engatinhar usando as mãos e

os joelhos, que tem outros desdobramentos neurológicos. Esse é um dos motivos por que o tempo de bruços é tão importante para o bebê novinho.

- Reflexo de Moro: ocorre quando o bebê se assusta; os braços se estendem como se fossem dar um abraço, as pernas se endireitam e enrijecem. O reflexo de Moro é encontrado em todos os recém-nascidos e costuma continuar até 4 ou 5 meses de vida. Sua ausência ao nascer indica problema.

Cuidados com o recém-nascido

A seguir você encontrará práticas rotineiras de cuidados com o bebê que se tornarão parte do dia da mãe e do pai.

Cuidados com o cordão umbilical

Pouco depois do nascimento, o cordão umbilical é grampeado e cortado, deixando um coto de mais ou menos três centímetros que é embebido num agente secante. Ao longo dos próximos dias, ele ficará preto e cairá, de modo geral, entre a primeira e a segunda semana de vida. Confira algumas orientações para os cuidados com o cordão umbilical:

- Equipamentos necessários: bolas de algodão ou cotonetes e álcool. Embeba uma bola de algodão em álcool e passe-a no cordão umbilical. Passe um cotonete com álcool na base do cordão, para limpar a área. Siga esse procedimento a cada troca de fralda para ajudar a secar o coto e a prevenir infecções. Para não deixar a fralda cobrir o cordão umbilical, dobre a parte da frente para fora da barriguinha do bebê, a fim de que o coto fique exposto.
- Em geral, existe um odor desagradável ligado à secagem do coto do cordão umbilical. No entanto, mau cheiro excessivo pode

indicar infecção. Se você observar esse problema, entre em contato com o médico.

• Comunique o pediatra se houver excesso de sangramento no coto do cordão, pus ou vermelhidão e inchaço próximos a sua base.

• Até a queda do cordão umbilical, evite roupas justas na região da cintura do bebê

• Não mergulhe o bebê em água até a queda do coto.

• Nunca tente remover o cordão umbilical. O coto deve cair de maneira natural.

Trocar fraldas

As trocas de fralda podem parecer intimidantes nos primeiros dias, mas é uma habilidade que logo será dominada. Os pais podem escolher entre fraldas de pano e descartáveis. Leia mais sobre isso no capítulo 9.

Quando o bebê tem uma assadura:

• A maioria das assaduras acontece porque a pele do bebê é sensível e fica irritada por causa de uma fralda molhada ou suja. Caso seu bebê fique assado, troque as fraldas molhadas com frequência e o mais rápido possível depois que ele fizer cocô.

• Limpe a área afetada apenas com água morna (lenços umedecidos não são adequados para recém-nascidos, embora você possa usá-los mais tarde).

• Pomadas ou talcos específicos para esse propósito, aplicados sobre a pele seca, costumam resolver assaduras leves.

• Deixe seu bebê sem fralda e exposto ao ar por períodos de trinta minutos, quando possível. Essa prática é importante para resolver assaduras graves.

Se seu bebê estiver tomando antibióticos, você pode notar uma assadura surgir de repente. Isso não quer dizer que o bebê é alérgico ao remédio; em vez disso, trata-se de uma provável reação natural à mudança no conteúdo e no pH de suas fezes, que causa irritação à pele. Não interrompa o antibiótico, a menos que o pediatra aconselhe a parada.

Ligue para o pediatra se:

- A assadura persistir ou piorar por três dias ou mais.
- A pele sangrar ou criar bolhas.
- A área assada inchar.

Nessas situações, pomadas comuns não resolverão. Provavelmente serão necessários medicamentos receitados pelo médico.

Banho

Durante as primeiras semanas, lembre-se de não imergir o bebê na banheira antes da queda do coto do cordão umbilical, em geral entre 10 e 14 dias de vida. Até então, banhos de esponja são suficientes. Veja a seguir algumas orientações.

Orientações para o banho:

- Reúna tudo de que você precisa antes de começar o banho.
- O ideal é banhar o bebê durante a parte mais quente do dia e manter o quarto aquecido durante o banho também.
- Quando der um banho de esponja, mantenha o bebê coberto com uma manta ou toalha, com exceção da área que está sendo limpa. Seque o bebê imediatamente, pois os recém-nascidos perdem calor corporal muito rapidamente quando molhados.

- É recomendável usar uma banheira de bebê sobre um balcão ou dentro da banheira comum, pois dá à mãe e ao pai mais controle sobre o corpo do bebê.
- A água do banho deve estar numa temperatura confortável, não quente.
- Até que o bebê consiga sentar (em geral por volta dos 6 meses de idade), ele precisará de apoio na banheira. Use o braço para apoiar as costas do bebê enquanto a mão segura o braço mais afastado. Essa posição proporciona mais liberdade e segurança para você dar banho no bebê.

Cuidados depois da circuncisão

A circuncisão é quase tão antiga quanto a própria história. A prática era um rito judaico (embora não exclusivo a esse povo). Hoje, especialistas médicos e pesquisas afirmam que a circuncisão traz consigo pequenos benefícios, mas nem todos concordam com sua necessidade. As evidências sugerem que a circuncisão pode diminuir o risco de infecção no trato urinário e praticamente elimina a possibilidade de câncer no pênis. A circuncisão em bebês não é uma experiência traumatizante; trata-se de uma pequena cirurgia. O desconforto sentido não ficará enraizado em sua memória mais do que a picada no calcanhar durante o teste do pezinho (teste para fenilcetonúria e outras doenças congênitas, o qual verifica se o bebê tem uma enzima importante). A circuncisão costuma levar de quatro a sete dias para cicatrizar e necessita de limpeza rotineira durante as trocas de fralda:

- Limpe com um pano macio e água; não esfregue.
- Aplique uma camada de vaselina sobre a área de tecido exposto e cubra com uma gaze. Esse procedimento protege a área de umidade e bactérias.

- Substitua a gaze a cada troca de fralda até a região estar curada.
- Ligue para o pediatra se houver sangramento excessivo na região da cirurgia ou inchaço e vermelhidão excessivos, presença de pus ou líquido drenado, ou mau cheiro.

Icterícia em recém-nascidos

A icterícia não é uma doença, mas uma situação temporária caracterizada pelo tom amarelado da pele e dos olhos. O amarelo vem da bilirrubina (um pigmento da bile) no sangue e, em geral, é controlado com facilidade. Se a condição parecer mais pronunciada depois do segundo dia, são feitos exames de sangue frequentes e inicia-se o tratamento tradicional.

Os bebês com níveis moderadamente elevados de bilirrubina são tratados, às vezes, com luzes fluorescentes especiais que ajudam a fragmentar o pigmento amarelo. Ingestão adicional de líquidos também pode fazer parte do tratamento recomendado. Nesse caso, o pediatra pode recomendar outros complementos líquidos, embora a amamentação exclusiva costume ser a melhor maneira de corrigir a condição, com mamadas de até duas em duas horas. Como a bilirrubina é eliminada nas fezes, certifique-se de que o bebê esteja defecando com frequência. Um recém-nascido com icterícia tende a ficar mais sonolento do que o normal, portanto, não se esqueça de acordá-lo para mamar a cada duas e meia a três horas.

Os cuidados com um bebê doente

O bebê doente deixa os pais inseguros, mas, ao mesmo tempo, eles passam a apreciar mais os profissionais da medicina que cuidam de seu bebê durante esses períodos. É normal que um bebê fique doente de sete a nove vezes durante o primeiro ano de vida. A prevenção é o melhor cuidado, portanto forneça para seu bebê um ambiente limpo e seguro, aliado a uma rotina com momentos regulares para dormir, brincar e comer. Se, porém, você observar qualquer um dos sintomas a seguir, entre em contato com o pediatra:

- Temperatura retal superior a 38 graus.
- Excesso de vômito ou vômito verde.
- Diarreia, definida como três ou mais fezes (aguadas ou com cheiro ruim) além do que é normal para o bebê, persistindo por mais de 48 horas.
- Constipação, definida como fezes duras, secas ou ausência de fezes por 48 horas. Lembre que os bebês amamentados com mais de 1 mês de idade podem só evacuar de uma a duas vezes por semana, porque o leite materno é quase que 100% digerido. Por isso, é importante saber o que é normal para o seu bebê.
- Cor amarelada na pele e nos olhos de seu bebê.
- Sintomas de desidratação. Assim como os adultos, os bebês podem ficar desidratados se não tomarem líquido suficiente, mas, diferentemente dos adultos, não conseguem pedir algo para beber ou pegar algo por conta própria. Nas primeiras semanas, os bebês podem dar sinais de desidratação por um problema de amamentação. Os sinais de alerta incluem:
    - Falta de fraldas molhadas ou sujas.
    - Língua e boca secas.
    - Letargia ou dificuldade de acordar para mamar.
    - Sugada fraca ou problemas para fazer a pega.
    - Mamar menos de oito vezes em 24 horas.
    - Perda de peso.

Como medir corretamente a temperatura

- As duas formas mais eficazes de medir a temperatura do bebê é no reto ou nas axilas, usando um termômetro digital. (O uso de termômetros de mercúrio não é incentivado pela Academia Norte-Americana de Pediatria.) Quando usar o termômetro digital, não se esqueça de seguir as instruções da embalagem.

• O método retal é o mais preciso, pois fornece uma rápida leitura da temperatura interna do bebê. A variação normal da temperatura do reto é de 36 a 37 graus. Embora a temperatura axilar seja adequada, pode demorar até dez minutos para fazer uma leitura precisa e, em geral, ela é de um a dois graus mais baixa do que a temperatura retal. Se você tem dúvidas sobre como medir a temperatura retal, ligue para o consultório do pediatra. Ou melhor, peça que demonstre antes de precisar dar o telefonema.

• Até que a criança consiga segurar o termômetro debaixo da língua com segurança (por volta dos 3 anos de idade), o termômetro retal ou axilar são as duas escolhas disponíveis. Sempre leve em consideração fatores externos que podem influenciar a temperatura do bebê, como o clima quente ou excesso de roupas. A desidratação, as vacinas ou o nascimento de dentes são fatores que podem causar febre baixa, de 37 a 38 graus.

Cuidados com a mãe

Uma alimentação balanceada que atenda às necessidades nutricionais da mãe ajudará a mantê-la forte. Além de se alimentar de forma saudável, ela deve continuar tomando as vitaminas pré-natais enquanto estiver amamentando e beber 240 ml de água durante as mamadas para estabilizar a produção de leite. A água é o melhor líquido para isso; leite não necessariamente produz leite, portanto não é necessário que a mãe aumente o consumo normal de laticínios.

Desafios na amamentação

O capítulo 4, "Verdades sobre a alimentação", traz uma discussão detalhada sobre o básico da amamentação e informações adicionais podem ser encontradas no anexo 4, "Monitore o crescimento de seu bebê". Esta seção destaca as várias dificuldades que podem ocorrer durante a amamentação.

Bebê sonolento

O bebê sonolento tende a mamar pouco, ou seja, não ingere a quantidade adequada de leite. Trocar a fralda ou deixá-lo só de fralda são estratégias que podem acordá-lo o suficiente para conseguir fazer uma mamada eficaz. Colocar um pano úmido nos pés do bebê pode despertá-lo do sono.

Bebê abaixo do peso ou que está perdendo peso

Sempre que os pais sentirem que o bebê não está ganhando peso — ou está emagrecendo —, devem levá-lo para ser examinado e descobrir se tem algum problema médico. Se não for detectado nenhum problema médico, tente complementar as mamadas com 60 a 90 ml de leite artificial depois que o bebê tiver mamado no peito até o problema de peso ser resolvido.

Bebê prematuro

Dependendo do quanto seu bebê é prematuro e da existência de complicações, o pediatra dará a você as orientações necessárias para a amamentação. Caso seu bebê não consiga começar a mamar no peito de imediato, você pode tirar e armazenar seu leite para usar mais tarde em mamadeiras comuns ou em mamadeiras especialmente projetadas para prematuros.

Ordenha do leite do peito

Os motivos para ordenhar (tirar) leite do peito variam da necessidade médica ao conforto e conveniência. A melhor hora para tirar leite é depois que o bebê mamar, em especial após a primeira mamada da manhã, quando o suprimento de leite da mãe atinge o auge. Embora o leite possa ser ordenhado manualmente, a retirada mecânica é mais eficaz.

Bomba elétrica:

- Lave bem as mãos.
- É possível comprar ou alugar esse tipo de bomba.
- Siga as instruções do equipamento escolhido.
- Confira a disponibilidade no hospital ou na farmácia mais próxima.

Bomba manual:

- Lave bem as mãos. Apoie o seio colocando a mão debaixo do peito e a bomba sobre a auréola.
- Use a outra mão para bombear a válvula ou o êmbolo de forma suave e ritmada.

Ordenha manual:

- Lave bem as mãos. Coloque os dedos debaixo do seio para apoiar e o polegar em cima.
- Comprima com o polegar escorregando em direção ao mamilo (cerca de trinta vezes por minuto).

Recomendações para a ordenha adequada do leite

Coloque o leite num recipiente estéril (sacos de plástico específicos para esse fim são preferíveis a garrafas de vidro), tampe-o, escreva a hora e a data e guarde-o na geladeira. *Esse leite deve ser usado dentro de 24 horas.* Se estiver tirando leite para usar depois, siga o mesmo procedimento e coloque num congelador a -18° (a temperatura padrão dos congeladores domésticos. Confira o manual de instruções para se certificar de que seu congelador está na temperatura apropriada). Você pode armazenar o leite congelado por até 6 meses.

Para descongelá-lo, coloque-o em banho-maria e aumente a temperatura da água aos poucos, até que o leite esteja líquido e aquecido o suficiente para dar de mamar. O leite materno se separa em camadas; isso é normal. Apenas chacoalhe a mamadeira para misturar e sirva logo. (Não deixe o leite parado depois de descongelá-lo.) Depois de descongelado, o leite materno não pode ser congelado novamente. Descarte todo o leite que sobrar depois da mamada, pois a saliva do bebê já começou a digeri-lo (o mesmo acontece com o leite artificial). Lembrete: não aqueça o leite materno no micro-ondas, pois o processo destrói algumas das propriedades de combate à infecção nele encontradas.

Desafios enfrentados pela mãe na amamentação

No anexo 4, abordaremos uma série de desafios de amamentação ligados ao bebê. Esta seção tratará dos desafios de amamentação que a mãe pode enfrentar.

Obstrução dos seios

A obstrução é mais comum durante a transição do colostro inicial para o leite maduro ou logo depois desse processo. É mais perceptível em mães que pulam vários momentos de alimentação ou quando o bebê não toma tudo que a mãe produz. A obstrução ocorre com maior frequência na amamentação do primeiro filho do que dos seguintes, pois o período de transição entre o colostro e o leite maduro parece diminuir a cada filho. Para reduzir ou eliminar a obstrução, certifique-se de que seu bebê esteja fazendo mamadas completas a cada período de alimentação, não pule mamadas nem fique mais de três horas sem dar de mamar. A mãe pode sentir alívio ao ordenhar o leite de forma manual ou usando uma bomba. Um remédio caseiro é tomar um banho morno logo antes de oferecer o peito. Como tomar oito banhos por dia não é nada prático, talvez você possa tentar de uma a duas vezes, até o desconforto ceder.

Seios sensíveis, encaroçados ou doloridos

Algumas mães sentem sensibilidade nos seios nos dias antes da chegada do leite maduro. O bebê precisa sugar forte para receber o colostro, pois ele é mais grosso do que o leite maduro. O padrão típico é "sugar, sugar, sugar, engolir". Quando o leite maduro fica disponível, o bebê reage com movimentos rítmicos de "sugar, engolir, sugar, engolir, sugar, engolir". A partir de então, a força da sugada diminui e a sensibilidade deve ir embora.

Às vezes, um sutiã apertado pode ser a causa do problema. Portanto, não deixe de usar um sutiã de amamentação do tamanho certo. A maioria das lojas especializadas e das consultoras em lactação pode aconselhar você quanto ao tamanho adequado. Outra solução é sempre oferecer os dois seios cada vez que o bebê mamar, alternando os lados no início de cada mamada e deixando o bebê de cinco a dez minutos em cada seio para garantir que sejam esvaziados por completo.

Mastite

A mastite é uma infecção que acomete 10% das mães que amamentam, mas não leva necessariamente à interrupção do processo de amamentação (peça informações específicas a seu médico a esse respeito). As bactérias entram na pele pelos mamilos rachados ou vermelhos e podem se originar de um canal lactífero entupido por um sutiã apertado ou com arame debaixo do bojo. Se o sutiã sobe quando você levanta os braços, pode estar correndo o risco de entupir um canal. Atenção e tratamento imediatos podem ajudar a controlar a infecção e trazer melhora em dois dias. Talvez seja retirado material da boca do bebê para fazer uma cultura em laboratório a fim de averiguar se algum tipo de organismo, como uma levedura, está causando a infecção. Em caso de dor ou febre, tome um analgésico leve, como o Tylenol®. Seu médico também pode receitar antibióticos.

Candidíase oral

O "sapinho" ou candidíase é uma levedura (ou infecção fúngica) causada pelo fungo *Candida Albicans*. Quase todos os adultos testam positivo para a presença de *Candida* e, por volta dos 6 meses, 90% dos bebês também. Em geral, o sistema imunológico do bebê é suficiente para conter o crescimento da levedura, impedindo a manifestação de sintomas; mas o bebê doente, com o sistema imunológico enfraquecido, é vulnerável e pode apresentar candidíase oral. Os sintomas incluem manchas brancas na boca que podem causar problemas para o bebê durante a alimentação. Ele fica irritadiço e com dificuldade para mamar.

Um problema secundário é que a candidíase oral passa do bebê para a mãe durante a amamentação, causando dor nos seios ao dar de mamar. Se você perceber que o bebê não está com vontade de se alimentar e encontrar uma camada branca dentro da boca dele, entre em contato com o pediatra. Quanto antes o problema for tratado, mais rapidamente o bebê e a mãe voltarão a desfrutar uma experiência positiva de amamentação.

Canal entupido

Uma área sensível e dolorida ou um caroço no seio indica um canal que pode estar entupido em consequência do esvaziamento irregular ou incompleto, pega ou posicionamento incorretos do bebê no seio ou um sutiã de tamanho inadequado. A maioria dos canais entupidos se corrige por conta própria se forem tratados rapidamente. Aplicar uma fonte de calor sobre a área antes de amamentar aumenta a circulação e ajuda a desentupir o canal. Continue a rotina de amamentação, coloque o bebê para mamar primeiro no lado afetado e descanse. Se em 24 horas você não perceber melhora ou se os sintomas piorarem, ligue para o médico.

Mamilos invertidos

Há três níveis de inversão de mamilos; converse com seu ginecologista obstetra sobre as várias opções corretivas para seu caso e os procedimentos disponíveis para ajudá-la a amamentar. Obter ajuda logo no início para o bebê fazer a pega correta e você posicioná-lo da maneira adequada pode fazer a diferença entre o sucesso na lactação e o desmame precoce no caso das mães que têm mamilos planos ou invertidos. Embora essa condição não ofereça riscos à saúde, pode ser desafiadora para uma nova mãe que está se esforçando para o bebê fazer a pega certa. Os mamilos invertidos não impedem a produção de leite, mas causam impacto na liberação do leite para o bebê lactente.

Mamilos doloridos

A dor nos mamilos costuma resultar do posicionamento incorreto do bebê no seio. Isso o impede de fazer a pega ou de sugar o peito de maneira correta. Outras causas para a dor são a obstrução do seio; o bebê fazer a pega apenas no mamilo em vez de pegar o mamilo e a auréola; retirada do bebê do seio de maneira inadequada e permitir que o bebê mame por tempo excessivo.

O principal tratamento é se certificar de que o bebê está na posição correta e fez a pega. É possível que você deseje fazer um rodízio do lado em que começa a dar de mamar, deixando por último o mais dolorido, crescendo até chegar a dez minutos de cada lado.

Evite usar absorventes para seios com forro de plástico. Alterne as posições de amamentação, para que a pressão que o bebê faz ao sugar não incida sempre sobre a mesma parte do mamilo. Depois de dar o peito, deixe os mamilos ventilarem por alguns momentos. Usar uma pequena quantidade de óleo de vitamina E, lanolina ou creme para seios pode ser útil quando a aplicação é feita logo depois da mamada, e o produto só precisa ser enxaguado quando o bebê for mamar de novo. As mães também sentem alívio ao usar absorventes para seios de algodão e trocá-los com frequência, no mínimo uma vez ao dia, ou toda vez que ficarem molhados por causa de vazamento do leite. Se a dor for intensa, converse com o médico, pois talvez seja necessário tomar algum medicamento.

Excesso de leite

Conforme observamos no capítulo 6, a produção de leite em excesso afeta o equilíbrio cumulativo entre o primeiro e o segundo leite. Os bebês necessitam de uma quantidade específica de primeiro e segundo leite a cada vez que mamam. Usando o exemplo do capítulo 6, digamos que o bebê necessite de um total de 150 ml de leite por mamada. O excesso de leite leva à maior disponibilidade dos dois tipos de leite a cada momento de alimentação. Em vez de tomar 75 ml em um dos seios, o bebê ingere 90, 105 ou 120 ml. Como ele só precisa de 150 ml, quando chega a hora de mudar de seio, o bebê só toma o primeiro leite e se sacia. Ocorre, portanto, um desequilíbrio entre primeiro e segundo leite no trato digestório do bebê. O primeiro leite é rico em lactose, mas contém menos gordura do que o segundo leite. Por causa disso, o sistema digestório do bebê recebe lactose demais.

Em geral, três consequências indesejáveis são desencadeadas: primeiro, o segundo seio não é esvaziado e isso pode levar a um entupimento de canal ou mastite. Segundo, a quantidade elevada de lactose pode produzir regurgitação excessiva e desconforto na barriga do bebê por retenção de gases. Terceiro, ao tomar mais primeiro leite, o bebê acorda cedo das sonecas, porque o primeiro leite suprime a fome, mas não a satisfaz.

Para diminuir a quantidade de leite produzida, reduza o tempo em que o bebê mama em cada seio. Isso sinalizará ao cérebro para diminuir a produção. Se o leite estiver descendo rápido demais quando o bebê começa a mamar, bombeie ou tire manualmente uma quantidade suficiente de leite para diminuir o fluxo. Não tire o excesso de leite após as mamadas, pois isso só incentivará uma produção ainda maior.

Leite insuficiente

A produção de pouco leite pode ser sinal de uma má condição de saúde geral, alimentação pobre ou ingestão insuficiente de líquidos. Também pode ocorrer se a mãe estiver ansiosa, tensa, apreensiva ou exausta demais. Além disso, é possível acontecer porque o bebê recebe complemento na mamadeira várias vezes por dia, diminuindo o número de períodos de amamentação necessários para manter uma produção adequada de leite. A seguir, alguns indicativos de que seu bebê não está recebendo nutrição adequada:

- Chora durante e entre as mamadas.
- Suga a mão ou a chupeta com vigor.
- Perda de peso.
- Pouca urina ou constipação.

Se você estiver com problema de baixa produção de leite, amamente seu bebê num lugar tranquilo a cada duas horas e meia a três horas, por aproximadamente quinze minutos em cada seio. Na medida do possível, tente relaxar durante as mamadas. Se estiver com dificuldade para relaxar, ligue para o médico e procure tratamento para descartar qualquer problema de saúde subjacente. Tente tirar leite depois de cada mamada do bebê, para ver se isso ajuda a aumentar a produção. Usar uma bomba elétrica é o melhor jeito de fazer isso.

Anexo 2

O que esperar em cada momento

Um dos maiores mitos atuais sobre criação de filhos é que os pais saberão intuitivamente o que fazer quando o bebê chegar. Na verdade, pais e mães estão prontos para ficar estressados à medida que aprendem a se ajustar à presença poderosa de um bebê indefeso no lar. Depois de deixar a segurança da equipe hospitalar, os primeiros dias e as semanas iniciais provavelmente estarão repletos de incertezas.

Talvez não seja possível se preparar plenamente para a primeira experiência como pais, pois, com a chegada do primeiro filho, vem uma série de novas experiências e emoções. No entanto, cremos que a mãe e o pai se encontram mais bem preparados para lidar com as mudanças que o bebê traz a sua vida quando têm uma compreensão básica do que esperar nos dias que se seguem ao nascimento. Este anexo descreve o que costuma ocorrer durante os três primeiros dias até três semanas após o parto. Familiarizar-se com as várias expectativas poupa a mãe e o pai de preocupações desnecessárias.

Apresentamos a seguir quatro tabelas para ajudar os pais a acompanhar passo a passo o que esperar a cada momento com o nascimento do bebê. Cada tabela deve ser lida antes e depois da chegada do neném. Quando a leitura for feita antes do nascimento, marque cada item na coluna "AN" (antes do nascimento). Mas quando o recém-nascido já estiver em casa dormindo no quarto ao lado do seu, releia cada tabela e marque a coluna "DN" (depois do nascimento). Por que ler antes e depois? Porque da primeira vez que você ler cada item, estará se familiarizando com o assunto, mas, da segunda, terá o desejo ardente de compreendê-lo, por causa da sensibilidade aguçada de promover o bem-estar de uma vidinha que depende de você para tudo.

AN	O que esperar nos três primeiros dias	DN
	1. O bebê está bem alerta logo após o parto e, em geral, pronto para mamar.	
	2. O colostro é o primeiro leite que o bebê toma e está presente por ocasião do nascimento.	
	3. Depois de uma cirurgia cesariana, o bebê costuma conseguir mamar logo que a mãe é levada para o quarto.	
	4. O mecônio (fezes escuras e grudentas, de consistência parecida com piche) deve ser eliminado nas primeiras 48 horas após o parto. Depois dele, vêm as fezes de transição durante os próximos dias.	
	5. O bebê deve urinar dentro das primeiras 24 horas após o parto.	
	6. Entre 24 e 48 horas, o bebê deve começar a molhar as fraldas, aumentando de três a cinco por dia à medida que o leite da mãe desce.	
	7. Os bebês costumam perder de 200 a 225 gramas do peso registrado ao nascer nas primeiras 24 a 36 horas. O peso do bebê quando recebe alta do hospital reflete de forma mais precisa seu peso corporal verdadeiro e é uma medida de base melhor para avaliar seu crescimento.	
	8. Um dos maiores desafios durante as primeiras 72 horas é a sonolência do bebê. Os pais devem manter o bebê acordado para fazer mamadas completas aproximadamente a cada duas a três horas.	
	9. Siga os procedimentos adequados de cuidado com o cordão umbilical e higiene a cada troca de fralda. Caso seu filho tenha sido circuncidado, proporcione o cuidado necessário cada vez que trocar a fralda.	

	10. Nos primeiros dias, preocupe-se mais em dar ao bebê de oito a dez boas mamadas a cada 24 horas do que em estabilizar a rotina do bebê ou os seus padrões de sono.	
	11. Lembre que, por enquanto, a hora de comer equivale à hora de ficar acordado do bebê.	

AN	Problemas que podem surgir nos três primeiros dias	DN
	1. A pele do bebê está amarela: depois do primeiro dia, os recém-nascidos costumam desenvolver icterícia, que faz a pele adquirir um tom amarelado. Se isso acontecer, o médico deverá pedir um exame de sangue para medir o nível de bilirrubina, que, por sua vez, determina o rumo do tratamento. Se o amarelado aparecer depois que o bebê receber alta do hospital, entre em contato com o pediatra.	
	2. O bebê está letárgico, muito sonolento ou se recusa a comer: embora seja comum aos recém-nascidos apresentar sonolência, esse estado não deve interferir na alimentação. Se você estiver amamentando, certifique-se de que o bebê esteja na posição apropriada junto ao seio e que tenha feito a pega correta. Procure o auxílio de uma consultora em lactação experiente ou de seu médico caso esteja preocupada por algum motivo.	

AN	O que esperar durante as três primeiras semanas	DN
	1. O leite de transição desce entre o terceiro e o quinto dia e, na terceira semana, você já deve estar produzindo leite maduro.	
	2. Continue a se concentrar em mamadas completas.	
	3. Monitore o crescimento de seu bebê usando as "Tabelas de crescimento saudável do bebê" no anexo 5. Na segunda semana, o bebê já deve ter ganhado de volta o peso que tinha ao nascer ou estar se aproximando dele.	
	4. As fezes do bebê mudarão de cor e consistência após o terceiro dia.	

	5. As fezes dos bebês amamentados tendem a ser mais macias e de cor mais clara do que a de bebês que tomam leite artificial. Entre 5 e 7 dias de vida, o bebê deve eliminar pelo menos de três a cinco fezes amarelas por dia.	
	6. Entre 5 e 7 dias de vida, o bebê deve molhar no mínimo de seis a oito fraldas, encharcando algumas. A urina varia na coloração de quase transparente para amarelo-escuro.	
	7. Assim como acontece com os adultos, a cor da urina ajuda a averiguar se o bebê está recebendo leite suficiente para mantê-lo com uma hidratação adequada. A urina transparente ou amarelo-clara sugere hidratação adequada; uma urina mais amarelo-escura (ao final da primeira semana) sugere que o bebê não está ingerindo leite o suficiente.	
	8. Continue a cuidar do cordão umbilical a cada troca de fralda até o coto cair. Em geral, isso acontece em torno da segunda semana. Durante esse período, o bebê só necessita de um banho de esponja. Não o mergulhe na água. Lembre-se, caso seu filho tenha sido circuncidado, cuide da maneira apropriada a cada troca de fralda até a circuncisão cicatrizar.	
	9. Entre 10 dias e 3 semanas, os bebês podem passar por um pico de crescimento que exige mamadas adicionais. O pico pode durar de um a três dias. Durante esses dias: a) O bebê que mama no peito pode ser alimentado até de duas em duas horas (possivelmente durante a noite também) de um a três dias. b) Os pais do bebê que toma mamadeira notarão que a criança parece faminta depois de consumir uma mamadeira do tamanho de sempre; ou dá sinais de fome antes do próximo horário de alimentação previsto. Há algumas opções a se considerar: • Acrescente de 30 a 60 ml de leite à mamadeira cada vez que ele for comer e deixe o bebê tomar o quanto quiser. Se o bebê estava tomando 75 ml por mamada, faça uma mamadeira de 120 ml e o deixe mamar até ficar cheio. • Ou ofereça a mamada extra quando o bebê der sinais de fome. Quando o pico de crescimento termina, o bebê volta à rotina normal de comer — ficar acordado — dormir. Entretanto, no dia seguinte ao pico de crescimento, a maioria dos bebês dorme mais do que o normal nas sonecas.	

	10. Por volta da terceira semana, o bebê deve estar mais alerta nas horas de comer. Entre a terceira e a quarta semana, a hora de ficar acordado de seu bebê começa a aparecer separada do momento da alimentação. A agenda dele deve estar mais ou menos assim: comer, arrotar e trocar fralda gasta em torno de trinta minutos. Um pouco de tempo acordado consome mais vinte minutos, em média. A soneca dura de uma hora e meia a duas horas.	
	11. Nem todos os ciclos de comer – ficar acordado – dormir do dia terão a mesma duração exata. É por isso que falamos em intervalos, não em horários *fixos*.	
	12. Se você amamenta, não deixe o bebê passar mais de três horas entre as mamadas durante as primeiras três semanas. O ciclo de comer e dormir não deve exceder de três horas a três horas e meia durante as primeiras três semanas. À noite, não permita que o recém-nascido passe mais de quatro horas sem comer. (As horas de comer geralmente ficam dentro de um intervalo de duas horas e meia a três horas.)	

AN	Problemas que podem surgir nas três primeiras semanas	DN
	1. Se, entre o quinto e o sétimo dia de vida, o bebê não estiver molhando no mínimo de seis a oito fraldas e eliminando pelo menos de três a cinco fezes amarelas e moles por dia, entre em contato com o pediatra.	
	2. O bebê se recusa a comer.	
	a) Caso esteja amamentando, confira se o bebê está corretamente posicionado no seio, se fez a pega correta e se o leite é liberado. Confira dentro da boquinha do bebê se há candidíase oral, causada pelo fungo *Candida Albicans*. Os sintomas incluem uma substância de aspecto leitoso que cobre o céu e as laterais da boca do bebê.	
	b) Caso o bebê tome mamadeira, confira se a abertura do bico é pequena ou grande demais. Se for muito pequena, o bebê suga forte demais para obter o leite e pode recusar a mamadeira. Se a abertura do bico for grande demais, o leite descerá com rapidez excessiva. Isso faz o bebê engasgar e recusar o alimento. Troque para um bico de tamanho adequado.	

3. Caso o bebê chore demais antes, durante ou depois das mamadas, ou se dorme por menos de uma hora e acorda chorando, avise o pediatra. Não deixe de registrar o quanto o bebê ingere e aquilo que elimina nas "Tabelas de crescimento saudável do bebê" (anexo 5).

Anexo 3
Solução de problemas

Você alimenta o bebê, lhe dá carinho e banho. Uma troca de fralda aqui e uma balançada de chocalho ali. É nisso que se resume a vida com o bebê? Só se o bebê for do tipo que se compra em loja, com duas roupinhas e uma garrafa de leite que desaparece! O seu bebê é diferente de todos os outros. Ele é uma pessoa completa com necessidades complexas, que não pode ser programado de acordo com nenhum livro e nenhuma teoria. Com certeza, criar um bebê traz muitas alegrias, mas, entremeados aos momentos memoráveis de conquistas, estão os desconhecidos desafios de criar os filhos.

Nesta seção, discutiremos algumas perguntas que os pais adeptos da AOP costumam fazer. Algumas das respostas são meras sínteses, outras orientam você a consultar um texto ou uma tabela específicos, enquanto outras ainda apresentam informações adicionais. Não espere surgir uma situação desafiadora para ler esta seção. Seja uma pessoa proativa. Como essas perguntas representam situações da vida real, entendê-las pode evitar os problemas que elas resolvem e também servir como uma excelente revisão de *Nana, nenê*.

Primeira semana

1. A partir de quando, após o nascimento, posso colocar em prática a AOP?

No que se refere ao processo de pensamento, o começo é imediato. Na prática, porém, você deve se tranquilizar em relação ao plano.

Na medida do possível, tente relaxar nos primeiros dias, enquanto começa a se familiarizar com o bebê e com seu novo papel de mãe. O melhor jeito de começar é cuidando das horas de comer do bebê e se esforçando para que ele faça mamadas completas. Dar de oito a dez mamadas num período de 24 horas colocará seu bebê numa rotina previsível de três horas ao final da primeira ou segunda semana. Lembre-se, não se preocupe com a hora de ficar acordado nesse início nem cogite em iniciar o treinamento para o sono noturno antes das 4 primeiras semanas de vida.

2. Quando me trouxerem o bebê para fazer a primeira mamada, por quanto tempo devo deixá-lo mamando?
Tente amamentar seu bebê logo depois do nascimento, pois os recém-nascidos estão mais alertas nesse momento. Tente deixá-lo quinze minutos em cada seio e, no mínimo, dez minutos. Isso dará aos seios estímulo suficiente para a produção de leite. Caso seu bebê queira mamar mais nessa primeira mamada, deixe-o fazê-lo. Na verdade, durante as primeiras mamadas, você pode continuar pelo tempo em que os dois estiverem confortáveis. Entretanto, tome cuidado para que ambos os seios sejam estimulados cada vez que o bebê mamar.

3. Meu bebê tem icterícia. Devo dar água entre as mamadas?
O pediatra direcionará o tratamento adequado para a icterícia e o uso de complementos líquidos. No entanto, o leite materno é o melhor líquido para curar a icterícia. Em alguns casos, é necessário amamentar com mais frequência.

4. Como saber se meu bebê está se alimentando o suficiente durante a primeira semana, antes de meu leite descer?

Confira a fralda. Um padrão saudável de evacuação é um indicador positivo de nutrição adequada. Durante a primeira semana, as fezes do bebê fazem a transição de preto esverdeadas e grudentas (o mecônio) para uma cor marrom, na consistência de massa mais firme. Depois, muda para a coloração mostarda (um pouco mais escura para bebês alimentados com leite artificial). Depois da primeira semana, procure por duas a cinco (ou mais) fezes amarelas por dia, com sete a oito fraldas molhadas. Isso indica que seu bebê está recebendo o alimento de que precisa.

Segunda a sétima semana

5. Meu bebê parece estar trocando o dia pela noite. Ele dorme longos períodos durante o dia e fica mais alerta de noite. Como posso resolver isso?
Comece com um horário consistente para a primeira mamada da manhã, que funcione bem para você e para sua família. Acorde o bebê, se necessário, e se esforce para que ele faça uma mamada completa. Alimente-o em intervalos regulares ao longo do dia. No meio da noite, deixe-o acordar naturalmente. Durante as primeiras cinco semanas, os bebês que mamam no peito não devem dormir mais de cinco horas seguidas à noite sem mamar.

6. Meu bebê fica irritadiço entre 20 e 23 horas. O que está errado?
Provavelmente nada! Todo bebê tem um momento pessoal em que fica mais irritadiço. Para a maioria, isso ocorre no fim da tarde ou no início da noite. Aplica-se tanto a bebês que tomam mamadeira quanto aos que mamam no peito. Se você passa por isso, está em boa companhia: literalmente milhões de mães e pais passam pelo mesmo problema por volta do mesmo horário todos os dias. Se ele não se acalmar no balanço para bebês, na cadeira de descanso, com os irmãos ou a avó, pense em colocá-lo no berço. Pelo menos lá ele terá a chance de pegar no sono. Se o bebê ficar excepcionalmente irritado, de forma contínua, pense na possibilidade de ele estar

com fome. Como anda sua produção de leite? Volte para o capítulo 4 e revise os fatores que influenciam a produção de leite. Observe que tipos de alimento você está comendo. Comidas apimentadas ou uma grande quantidade de laticínios e cafeína podem contribuir para a irritação do bebê.

7. Minha filha de 2 semanas mama em um seio e depois pega no sono. Uma hora depois, ela quer se alimentar de novo. O que devo fazer?
Se ela estiver com fome, alimente-a, mas se esforce para mantê-la acordada, a fim de que faça uma refeição completa e mame em ambos os seios. Tente trocar a fralda quando for trocar de seio, tirar a roupinha ou esfregar a cabeça e os pés com um pano úmido e frio. Faça o que for preciso para mantê-la acordada e termine a tarefa que tem em mãos: uma mamada completa. Mantenha esse objetivo bem claro em sua mente. Os bebês aprendem muito rapidamente a só fazer lanchinhos se você permitir.

8. Meu bebê de 3 semanas começa a chorar uma hora depois da última mamada e parece estar com fome. Já tentei aumentar esse intervalo, mas não consigo fazê-lo ficar mais tempo sem comer. Qual é o problema?
Alimente-o, mas tente descobrir porque ele não está alcançando a marca mínima e comece a se esforçar para atingi-la. Confira nas "Tabelas de crescimento saudável do bebê" (anexo 5) se seu bebê apresenta os sinais de uma nutrição adequada. Ele faz mamadas completas? Está começando um pico de crescimento? Como anda sua produção de leite? As respostas ajudarão a orientar você à solução adequada.

9. Meu bebê de 3 semanas acorda trinta minutos depois de começar a soneca. É um problema na soneca ou pode ser outra coisa?
Existem duas razões comuns para isso: ou o bebê precisa arrotar, ou foi estimulado em excesso antes de dormir. Se o problema for

o arroto, pegue-o no colo e trabalhe para que ele libere a bolha de ar. Se o excesso de estimulação for o culpado, pense em como impedir que isso aconteça no futuro. O bebê foi carregado ou balançado demais, brincou em excesso ou foi mantido acordado por muito tempo na expectativa de cansá-lo? Tais esforços costumam ter o efeito contrário ao desejado, porque os bebês, em especial os prematuros, lidam com o excesso de estimulação se fechando neurologicamente. O que parece ser sono não é sono de verdade, mas uma estratégia de autoproteção neurológica.

10. Às vezes, logo depois de dar de mamar a meu bebê, ele regurgita o que parece ser boa parte da mamada. Devo alimentá-lo de novo logo em seguida?
Seu bebê parece ter perdido a refeição inteira e mais um pouco e, às três da manhã, tudo dá uma impressão ainda pior. Na verdade, a quantidade aparenta maior do que o volume verdadeiro. Normalmente não é necessário dar outra mamada e a maioria dos bebês consegue esperar até a próxima hora de comer. Os dois motivos mais comuns para o vômito é o excesso de alimentação e um arroto mal feito. Se a situação persistir, pode ser sinal de um problema de digestão; não deixe de entrar em contato com o pediatra.

11. Às vezes, logo após alimentar, trocar meu bebê e brincar com ele, eu o coloco para tirar uma soneca e ele começa a chorar muito depois de cinco minutos. Isso não é normal para ele. O que devo fazer?
Como não se trata de comportamento normal, requer sua atenção. Talvez o problema seja uma mera fralda suja ou a necessidade de arrotar. Continue a monitorar seu bebê para verificar se o comportamento está se transformando num padrão. Caso isso esteja acontecendo, podem ser os primeiros sintomas de refluxo, que nem sempre se apresentam logo depois do nascimento (ver capítulo 8).

12. Meu bebê de 3 semanas mama no peito e já começou a dormir a noite inteira. Tudo bem?

Não! Isso não é aceitável para o bebê que amamenta porque ele precisa da nutrição adicional nas primeiras semanas e você necessita do estímulo para que sua produção de leite seja consistente. Entre no quarto e acorde seu bebê para mamar pelo menos uma vez por noite até ele completar 6 semanas de idade. Mesmo com 6 semanas, certifique-se de que o bebê amamentado não passe de oito horas sem comer à noite e dê de sete a oito boas mamadas durante o dia.

A partir da oitava semana

13. Meu bebê tem 10 semanas e ainda não dorme a noite inteira. O que devo fazer para eliminar a mamada do meio da madrugada?

Existem várias opções. Primeiro, volte e revise as orientações específicas listadas no capítulo 5, "Oriente o dia do seu bebê". Você as está seguindo? Segundo, não faça nada por duas semanas, pois 97% de todos os bebês cujos pais adotam a AOP dormem a noite inteira por conta própria até as 12 semanas. Terceiro, registre os horários exatos em que seu bebê está acordado. Se ele estiver acordando todas as noites basicamente no mesmo horário, provavelmente está acordando por hábito, não por necessidade. Nesse caso, você pode escolher ajudá-lo a eliminar essa hora de comer. Em geral, demora de três a cinco noites e o processo costuma ser acompanhado por um pouco de choro. Não se preocupe, seu bebê não se lembrará dessas noites, nem você. Sua lembrança ficará marcada nos dias, meses e anos por vir com a imagem de um bebê saudável, feliz e descansado.

14. Há pouco tempo, eu estava em uma reunião de família e coloquei meu bebê de 8 semanas para tirar uma soneca. Ele começou a chorar e todos me olharam para ver o que eu faria. Tia Marta se voluntariou para

pegar o bebê. Eu deixei, mas me senti pressionada entre a necessidade de meu filho tirar uma soneca e a família querendo que eu fizesse algo. O que eu deveria ter feito?
Essa resposta depende da idade de seu bebê. Se a tia Marta quiser "resgatar" seu bebê, um bebê de 3 semanas muito provavelmente pegaria no sono de forma confortável nos braços da tia e não haveria problemas naquela visita única. Mas se o bebê tiver 6 meses, é melhor contar à tia Marta que seu sobrinho preferido estará desperto e pronto para ganhar abraços e beijos dentro de duas horas e num estado de espírito muito mais feliz.

15. Meu bebê de 8 semanas dorme de sete a oito horas durante a noite. Infelizmente, ele faz isso nas horas erradas (das 20 às 4 horas). Que ajuste devo fazer?
Provavelmente a primeira mamada do dia é flexível demais. Quando o horário dessa refeição se tornar consistente, tudo o mais mudará. É só uma questão de reorganizar a agenda do bebê desse ponto em diante, com o objetivo de que a última mamada do dia ocorra às 22 ou 23 horas. Em geral, esse pequeno ajuste resolve o problema.

16. Meu bebê tem 9 semanas de vida. Eu achei que já havia resolvido a questão das sonecas, mas, de repente, ele passou a acordar depois de 45 minutos. Qual é o problema?
A origem do problema pode ser uma dificuldade na lactação, uma agenda cheia de interrupções, o estômago desarranjado ou todas as alternativas anteriores. Revise os detalhes do capítulo 6, com recomendações sobre o sono e a soneca.

17. Meu bebê de 11 semanas aumentou o sono noturno de oito horas e meia para dez horas, mas agora está acordando às 5 horas para a mamada da manhã, em vez de 6h30. O que devo fazer?

Esse cenário é comum, portanto faça um asterisco ao lado do parágrafo porque talvez você precise voltar a consultá-lo em alguma manhã. Há três alternativas para tentar. Primeiro, espere de dez a quinze minutos para ter certeza de que o bebê está mesmo acordado. Ele pode estar passando do estado de sono ativo para um sono mais profundo. Segundo, você pode alimentar o bebê e colocá-lo de novo no berço. Acorde-o às sete da manhã e o alimente mais uma vez. Embora seja um intervalo inferior a três horas, a vantagem é que o bebê está agora na rotina normal da manhã. Terceiro, ofereça uma mamada às cinco da manhã e a considere a primeira do dia. Então reorganize o restante da agenda matinal do bebê para que, no início da tarde, ele esteja de volta na rotina, a fim de que a primeira e a última mamadas fiquem em horários que você considera os melhores para a família.

18. Meu bebê tem 3 meses de idade. Passamos uma semana visitando os parentes e agora ele está fora dos horários. Quanto tempo vai demorar até eu conseguir colocá-lo de volta em sua rotina regular?
Sempre que você viaja, o bebê tende a sair da rotina. Pode ser por causa da diferença de fuso horário, do tempo passado em aeroportos ou da insistência da vovó em pegar o bebê no colo quando ele deveria estar dormindo. Nessas ocasiões raras, deixe os parentes aproveitarem o bebê. Ele não será bebê por muito tempo. Pode demorar alguns dias para voltar à rotina quando você voltar para casa — com um pouco de choro e protesto — mas, em três dias, ele deve estar na linha de novo.

19. Meu bebê mama no peito e tem 13 semanas. Ele está pronto para passar a dormir doze horas durante a noite?
Com essa idade, o bebê que mama no peito pode aumentar o sono noturno para nove ou dez horas. O bebê que toma mamadeira

pode passar mais tempo. As mães que amamentam não podem se esquecer da produção de leite. Deixar o bebê dormir por mais de nove a dez horas à noite provavelmente não deixará tempo suficiente durante o dia para o estímulo necessário.

20. Meu bebê tem 3 meses e meio e não faz a terceira soneca completa. O que devo fazer?
Com essa idade, se o bebê estiver fazendo uma terceira soneca curta todos os dias, apenas confira se as outras duas duram de uma hora e meia a duas horas. Se ele dormir de 30 a 45 minutos na terceira soneca, é suficiente para que fique acordado no início da noite.

21. Nosso bebê está indo bem em sua rotina, mas tudo é interrompido aos domingos de manhã, quando o deixamos no berçário da igreja. Como posso minimizar a interrupção na agenda do bebê sem deixar de frequentar a igreja durante os próximos meses?
Conforme observado no capítulo 5, as pessoas que trabalham em berçários e creches costumam estar ocupadas com várias crianças. Por causa disso, não conseguem manter as diferentes rotinas de cada criança sob seus cuidados. Sugerimos que os pais deixem um lanche e uma mamadeira com água, leite artificial ou leite materno; dê à pessoa responsável liberdade para fazer o que achar melhor para seu bebê quando ele tiver uma necessidade que foge à rotina normal. Quando seu filho tem uma rotina bem consolidada, algumas horas no berçário não o desencaminharão. Quando chegar em casa, faça os ajustes necessários.

22. Meu bebê vem ganhando peso muito bem, mas agora, aos 4 meses, não engordou no mesmo ritmo. Isso é motivo de preocupação?
Caso você observe uma diminuição constante no ganho de peso, pode ser um problema de alimentação ou de saúde. Antes de consultar o médico, descarte o problema de alimentação analisando

sua produção de leite. Se você observar irritação rotineira após as mamadas ou se o bebê estiver com dificuldades de passar o intervalo apropriado entre as refeições, examine as fontes externas de estresse em sua vida e elimine aquilo que puder. Você está ocupada demais ou não dorme o suficiente? Está tomando líquidos o bastante? O consumo de calorias é adequado? Entrou de regime cedo demais? Está seguindo as recomendações do médico sobre as vitaminas suplementares durante a lactação? Familiarize-se bem com o anexo 4: "Monitore o crescimento de seu bebê".

23. Estou começando a seguir os princípios de Nana, nenê *com um bebê de 9 meses. É tarde demais?*

Os pais que não iniciam sua jornada valendo-se do plano de orientação proposto por *Nana, nenê* podem acordar para essa necessidade depois que o filho tiver de 6 a 18 meses e ainda não dormir a noite inteira. É muito tarde para esses pais? Claro que não! Se você estiver nessa situação e sentir o desejo de resolver o problema, existem algumas orientações gerais e específicas para estabelecer o sono noturno contínuo.

Orientações gerais

a. Leia e compreenda o conteúdo inteiro deste livro antes de fazer qualquer coisa.

b. Não tente começar o processo quando houver convidados ou parentes de outra cidade visitando sua família. A pressão adicional de explicar tudo que você está fazendo não ajuda em nada.

c. Comece o processo de mudança quando a saúde do bebê estiver em dia.

Orientações específicas

a. Trabalhe na rotina diurna do bebê durante os primeiros quatro a cinco dias. Lembre-se de que as três atividades básicas devem seguir uma ordem correta: comer, ficar acordado e dormir. Revise o capítulo 5, "Oriente o dia do seu bebê", para saber qual é o número adequado de momentos de alimentação num período de 24 horas para a idade de seu filho. Por exemplo, um bebê de 3 meses deve fazer de quatro a cinco mamadas por dia. Se tiver 6 meses, deve fazer três refeições por dia com um período de amamentação ou uma mamadeira logo antes de dormir à noite. Se você criou o hábito de embalar ou ninar o bebê até ele dormir durante as sonecas, chegou a hora de eliminar esse costume.

b. Revise o capítulo 7, "Quando o bebê chora", e se prepare para um pouco de choro. Você está saindo de uma manipulação do sono cheia de conforto e passando para o treinamento na habilidade de dormir. Inicialmente, seu bebê não gostará da mudança, mas ela é necessária para seu desenvolvimento saudável. O choro só significa que ele ainda não desenvolveu a habilidade de se acalmar sozinho. É justamente para esse objetivo que você está trabalhando. Tenha paciência e seja consistente. Para alguns pais, o sucesso chega depois de uma noite, para outros, após duas semanas. O tempo médio é de três a cinco dias. Continue a pensar nos benefícios de longo prazo e a se concentrar neles. Uma reação proativa de sua parte é melhor não só para o bebê, mas também para a família inteira.

Resumo

Reeducar sempre é mais difícil do que educar corretamente desde o início, mas pais que amam os filhos dão a eles o que necessitam — e crianças pequenas precisam de uma boa noite de sono! As mães que já viram seu bebê fazer a transição de noites insones para um sono pacífico relatam que a disposição durante o dia muda drasticamente também. Quanto mais felizes, mais satisfeitas as crianças ficam e definitivamente mais fáceis de cuidar. Temos a certeza de que esse será o caso com seu bebê também.

Anexo 4

Monitore o crescimento de seu bebê

UMA DAS MUITAS VANTAGENS da alimentação orientada pelos pais é o sucesso das mães na amamentação. Saber que as necessidades nutricionais de seu bebê estão sendo atendidas de forma metódica proporciona mais confiança. Embora a confiança seja um fator positivo, não fique complacente no que se refere a monitorar o crescimento de seu bebê.

Isso é importante para nós e deve ser para você também. A vida de seu bebê depende disso! Saber o que esperar na primeira semana e quais são os indicadores nutricionais que devem ser encontrados são coisas que podem fazer toda a diferença do mundo no que se refere a seu grau de confiança e ao bem-estar do bebê. Tais indicadores dão orientação e retorno à mãe sobre como ela e o bebê estão se saindo. Confirmam que as coisas vão bem e advertem quanto a qualquer condição que necessite de atenção imediata. Sempre que você perceber indicadores prejudiciais, ligue para o pediatra e relate o que descobriu de maneira objetiva.

No próximo anexo, você encontrará tabelas de crescimento saudável do bebê para cada idade, feitas para ajudar você em sua avaliação diária. A primeira foi planejada especificamente para a primeira semana; a segunda abrange da segunda até a quarta semana; e a terceira vai da quinta semana em diante. O uso dessas tabelas fornecerá marcos importantes que sinalizam um padrão de crescimento saudável ou doentio. Por quais indicadores a mãe e o pai devem procurar? Vamos resumi-los.

Primeira semana: indicadores de crescimento saudável

1. Em circunstâncias normais, são necessários poucos minutos para o bebê se ajustar à vida fora do útero. Os olhos se abrem e ele começa a procurar comida. Leve seu bebê ao peito o mais rápido possível. Procure fazê-lo dentro da primeira uma hora e meia após o nascimento. Um dos primeiros indicadores positivos e um dos mais básicos também é a disposição do bebê e seu desejo de mamar.

2. É natural ficar se questionando e até mesmo sentir um pouco de ansiedade durante os primeiros dias após o parto. Como saber se o bebê está se alimentando o suficiente para sobreviver? A liberação do leite inicial, o colostro, é o segundo indicador positivo importante. Em termos muito simples, o colostro é um concentrado de proteínas feito especialmente para as necessidades de nutrição e saúde do bebê. Entre os vários benefícios do colostro, encontra-se o efeito sobre a primeira evacuação do bebê. Ele ajuda a acionar a passagem do mecônio, as primeiras fezes do bebê. As fezes do recém-nascido mudam, durante a primeira semana, do mecônio para fezes de transição, marrons e com consistência de massa firme, e depois para fezes cor de mostarda. Três a cinco fezes amarelas moles ou líquidas no quarto ou quinto dia são referentes apenas ao leite materno ingerido e um sinal saudável de que o bebê está recebendo a nutrição apropriada. O bebê alimentado via mamadeira evacuará fezes mais firmes, de cor marrom clara, dourada ou cinza, com odor semelhante ao das fezes de adultos.

3. Durante a primeira semana, amamentar com frequência é necessário por dois motivos: primeiro, o bebê necessita do colostro e segundo, as mamadas frequentes são necessárias para estabelecer a lactação. Amamentar a cada duas horas e meia a três horas, no

mínimo oito vezes por dia, são outros dois indicadores positivos a se considerar.

4. Apenas levar o bebê ao seio não significa que ele está mamando com eficiência. Há um elemento temporal envolvido. Nos primeiros dias, a maioria dos bebês mama de 30 a 45 minutos. Caso seu bebê seja vagaroso ou sonolento o tempo inteiro e não mame por mais do que dez minutos, isso pode indicar um problema.

5. À medida que o bebê se esforça para ingerir o colostro, você o ouvirá engolir. O padrão típico é sugar, sugar, sugar, depois engolir. Quando o leite maduro estiver disponível, o bebê reagirá com movimentos rítmicos: sugar, engolir, sugar, engolir, sugar, engolir. Você não deve ouvir barulhos de cliques nem ver a formação de covas nas bochechas. Os estalidos e as covinhas nas bochechas durante a amamentação são dois indicadores de que o bebê não está sugando com eficiência. Está sugando a própria língua, não o seio. Se você ouvir cliques, tire o bebê do seio e faça-o pegar o peito de novo.

Indicadores de crescimento saudável da primeira semana

1. O bebê pega o peito e mama.
2. O bebê mama no mínimo oito vezes num período de 24 horas.
3. O bebê mama mais de quinze minutos a cada refeição.
4. Você consegue ouvi-lo engolir o leite.
5. O bebê fez suas primeiras fezes, que se chamam mecônio. (Como a evacuação do mecônio é um dos indícios de que o recém-nascido está bem, a maioria dos hospitais não dá alta para o bebê se ele não tiver eliminado esse tipo de fezes durante as primeiras 24 horas. Quando o mecônio não é eliminado, o fato pode sinalizar uma obstrução intestinal.)
6. O padrão de evacuação do bebê progride do mecônio (preto esverdeado) para as fezes de transição (marrons e com consistência de massa firme), para fezes amarelas no quarto ou quinto dia. O

aumento no número de evacuações é um sinal positivo de que o bebê está tomando leite suficiente.

7. Dentro de 24 a 48 horas, o bebê começa a molhar as fraldas (aumentando para duas ou três por dia). Ao fim da primeira semana, as fraldas molhadas se tornam cada vez mais frequentes.

Indicadores prejudiciais de crescimento na primeira semana

1. O bebê não demonstra desejo de mamar ou suga com muita fraqueza.
2. O bebê não mama oito vezes num período de 24 horas.
3. O bebê se cansa muito rapidamente no seio e não consegue ficar pelo menos quinze minutos mamando.
4. O bebê sempre cai no sono enquanto mama, antes de fazer uma refeição completa.
5. Você ouve um barulho de clique acompanhado da formação de covas na bochecha durante a amamentação.
6. O padrão de evacuação do bebê não está progredindo para fezes amarelas dentro de uma semana.
7. O bebê não molhou nenhuma fralda depois de 48 horas do nascimento.

Vá agora para o final do livro e consulte a Tabela 1. Analise-a e se lembre de levar o livro com você para o hospital. Faça cópias das tabelas para o próprio uso ou para um amigo. As tabelas existem para ser compartilhadas com os outros.

Da segunda à quarta semana: indicadores de crescimento saudável

Depois da primeira semana, alguns dos indicadores de crescimento saudável começam a mudar. Confira, a seguir, a lista de conferência para as próximas três semanas.

Indicadores de crescimento saudável da segunda à quarta semana

1. O bebê mama no mínimo oito vezes por dia.
2. O bebê elimina de duas a cinco fezes amarelas por dia ao longo das próximas três semanas. (Esse número provavelmente diminuirá depois do primeiro mês.)
3. O bebê deve começar a molhar de seis a oito fraldas por dia (e encharcar algumas).
4. A urina do bebê é clara (não amarela).
5. O bebê suga forte, você vê leite nos cantos da boca dele e consegue ouvi-lo engolir.
6. Você percebe sinais crescentes de alerta durante a hora de ficar acordado.
7. O bebê está ganhando peso e crescendo. Recomendamos que o bebê seja pesado de uma a duas semanas após o nascimento. O ganho de peso é um dos indicadores de crescimento mais garantidos.

Indicadores prejudiciais de crescimento da segunda à quarta semana

1. O bebê mama menos de oito vezes por dia.
2. No primeiro mês, as fezes do bebê são pequenas, insuficientes e raras.
3. O bebê não molha a quantidade adequada de fraldas.
4. A urina do bebê é concentrada e amarelo-escura.
5. O bebê suga com fraqueza e de forma improdutiva, ou você não consegue ouvi-lo engolir.
6. O bebê é lento ou demora a reagir aos estímulos e não dorme entre as mamadas.
7. O bebê não ganha peso ou não cresce. O médico orientará você sobre a melhor estratégia para resolver o problema.

A partir da quinta semana: indicadores de crescimento saudável

A principal diferença entre os indicadores do primeiro mês e as semanas que se seguem é o padrão das fezes. Depois do primeiro mês, ele mudará. O bebê poderá eliminar fezes grandes uma vez por dia ou evacuar apenas uma vez a cada três ou cinco dias. Cada bebê é diferente. Qualquer preocupação quanto às fezes deve ser comunicada ao pediatra.

Os pais são responsáveis por cuidar para que a saúde do bebê e suas necessidades nutricionais sejam reconhecidas e atendidas. Para sua paz de espírito e para a saúde do bebê, recomendamos consultas regulares ao pediatra e o uso das tabelas incluídas ao final do livro para monitorar e registrar o progresso do bebê. Dois dias consecutivos de desvio do considerado normal devem ser relatados ao pediatra.

Se você tirar cópias das tabelas, coloque-as num lugar conveniente, como na porta da geladeira, sobre o berço ou em qualquer local que sirva de lembrete. Caso seu bebê mostre qualquer um dos indicadores prejudiciais de crescimento, informe o pediatra e leve o bebê para ser pesado.

Problemas no ganho de peso

Com a prática conservadora da AOP, o ganho de peso será estável e contínuo. Monitoramos rotineiramente o progresso dos bebês criados segundo a AOP e continuamos a encontrar resultados maravilhosos. Em 1997, nossos estudos retrospectivos acompanharam e compararam o ganho de peso de duzentos bebês criados segundo a AOP (grupo A) e duzentos bebês alimentados por livre demanda (grupo B). As informações pertinentes ao crescimento (ganho de peso e altura) foram retiradas diretamente das tabelas dos pacientes de quatro clínicas pediátricas.

O propósito da pesquisa era averiguar se o ganho de peso mais rápido poderia ser atribuído a um método específico de amamentação (por rotina ou por livre demanda). O peso e a altura de cada bebê foram medidos ao nascer, com 1 e 2 semanas; com 1, 2, 4, 6 e 9 meses e com 1 ano de idade. As comparações estatísticas foram feitas entre cinco faixas de peso: bebês que nasceram pesando entre 2,95 e 3,2 kg, 3,21 e 3,4 kg, 3,41 e 3,6 kg, 3,61 e 3,85 kg, 3,86 e 4,1 kg.

Dois métodos de análise foram usados para comparar o crescimento: a razão do ganho de peso (comparação do peso ganho a cada consulta em forma de percentual do peso ao nascer) e Índice De Massa Corporal (IMC). Calcula-se o IMC dividindo o peso em quilos pela altura em metros ao quadrado.

A justificativa para usar o IMC foi a tentativa de obter uma base de comparação mais uniforme do que o simples contraste linear. Usar apenas o peso absoluto do corpo como ferramenta de comparação não transmite nenhuma ligação com a estatura do bebê. No entanto, uma análise que usa o IMC permite um estudo comparativo de maior significância ao levar em conta bebês com peso e altura diferentes ao nascer.

Principais conclusões

Primeira: embora não exista uma diferença significativa entre os dois grupos, o grupo A (bebês AOP) ganhou peso ligeiramente de modo mais rápido do que o grupo B em todas as categorias de peso.

Segunda: mesmo que os bebês do grupo A dormissem de sete a oito horas por noite, não havia nenhuma mudança significativa do desempenho no ganho de peso.

Três: a amamentação era, inicialmente, o método preferido em ambos os grupos. Entretanto, no grupo B as mães desistiram de amamentar significativamente mais cedo do que no grupo A.

Você pode sentir tranquilidade ao saber que uma rotina básica não prejudica o ganho de peso saudável e adequado. E que isso facilita o sucesso na amamentação. Mesmo bebês de baixo peso se saem bem numa rotina conservadora. Embora alguns recém-nascidos pesem o mínimo dentro dos padrões nacionais, continuam a ganhar peso proporcional ao potencial genético da estatura herdade dos pais. Ou seja, pais mais baixos costumam gerar bebês menores; portanto, o ganho de peso, em geral, é proporcionalmente menor.

Ao acrescentar os benefícios de um padrão de sono saudável e de boas noites de sono para os pais, os grandes benefícios da AOP ficam claros para quem a coloca em prática e são benéficos para o bebê. Uma palavra de cautela: se você tiver um bebê com baixo peso, sempre procure seguir as recomendações específicas do médico quanto à frequência com que ele deve ser alimentado.

Guia do ganho normal de peso

Do nascimento a 2 semanas:

Média aproximada: recuperar o peso ao nascer, ou um pouco mais.

De 2 semanas a 3 meses:

Média aproximada: 900 gramas por mês ou 30 gramas por dia.

De 4 a 6 meses:

Média aproximada: 450 gramas por mês ou 15 gramas por dia (chega ao dobro do peso ao nascer até os 6 meses).

1 ano:

Média aproximada: duas vezes e meia a três vezes do peso ao nascer.

Bebês que não se desenvolvem

Há uma diferença entre *ganho vagaroso de peso* e *não se desenvolver*. Quando o ganho de peso é vagaroso, ele acontece com lentidão, mas de forma consistente. O bebê que não se desenvolve continua a perder peso após dez dias de vida, não recupera o peso ao nascer até as 3 semanas ou ganha muito pouco peso após o primeiro mês. Estima-se que, nos Estados Unidos, mais de dois mil bebês passem por isso todos os anos. A causa pode ser atribuída à mãe ou à criança.

Causas ligadas à mãe

Estas são questões específicas às mães que podem contribuir para um ganho de peso lento ou inexistente:

1. *Técnica incorreta de amamentação.* Muitas mulheres não conseguem amamentar porque o bebê não é corretamente posicionado no seio. O resultado é que ele só pega o mamilo, não toda a auréola ou grande parte dela. A consequência é um bebê faminto.

2. *Estrutura corporal ou estilo de vida.* A produção insuficiente de leite pode ser resultado da estrutura corporal (pouco tecido glandular ou hormônios insuficientes) ou do estilo de vida da mãe (não descansa o bastante ou toma pouco líquido). Nesses casos, a mãe não produz leite suficiente ou, em alguns casos, leite de boa qualidade. Se você suspeita que esse seja seu caso, tente:
   - usar a bomba de tirar leite para ver que quantidade de leite está sendo produzida;
   - descobrir se o bebê aceita tomar leite artificial depois de permanecer no seio durante o tempo apropriado. Relate o que descobrir ao pediatra.

3. Pouca liberação de leite. Isso revela um problema com o reflexo de descida do leite da mãe.

4. Amamentação frequente demais. Há uma ironia nesse ponto, pois a tendência seria pensar que muitas mamadas garantem ganho adequado de peso. Não necessariamente! Em alguns casos, a mãe fica exausta com um excesso de mamadas ineficazes. Quando conhecemos Jeffrey, ele tinha 6 semanas e havia ganhado apenas 450 gramas. A mãe oferecia o peito toda vez que ele chorava, aproximadamente a cada hora ou uma hora e meia. Jeffrey fazia a pega correta em sua mãe já fatigada e frustrada. Embora não estivesse se desenvolvendo de maneira adequada, o único conselho que a mãe recebeu da "consultora certificada em lactação" foi que desse de mamar com mais frequência. Para aumentar ainda mais sua exaustão, foi orientada a carregar o bebê num canguru. Imediatamente, colocamos a mãe de Jeffrey numa rotina de três horas. Para melhorar a saúde debilitada do bebê, ele recebeu o complemento de leite artificial. Em poucos dias, a criança faminta começou a ganhar peso. Depois de uma semana, estava dormindo a noite inteira. A mãe de Jeffrey amamentou com sucesso os próximos filhos seguindo o plano da AOP sem nenhum problema com ganho de peso.

5. Amamentação com frequência insuficiente. Esse problema pode ser atribuído tanto à hiperorganização dos horários quanto à alimentação por livre demanda do bebê. A mãe que insiste em consultar o relógio com todo rigor não tem confiança em seu poder de tomar decisões. Quem está no controle é o relógio, não os pais. Quem segue uma hiperorganização dos horários insiste numa agenda rígida e, às vezes, não dá de mamar ao bebê antes de um intervalo de quatro horas. A escravidão ao relógio é um mal quase tão grande quanto a mãe que se deixa controlar por emoções impensadas. Outro lado do problema da frequência insuficiente é o caso de alguns bebês alimentados por livre demanda pedirem para mamar bem poucas vezes. O resultado é que o seio da mãe não recebe estímulo suficiente para uma produção adequada de leite. A rotina de mamadas com um limite de tempo entre elas elimina esse problema. É por isso que as UTIs neonatais não se desviam muito da rotina de alimentação a cada três horas. Trata-se de uma alternativa saudável.

6. Falta de monitoramento dos sinais de crescimento. Muitas mães simplesmente não observam os indicadores saudáveis e prejudiciais de crescimento. As tabelas de crescimento saudável do bebê ajudarão você nessa tarefa de importância vital. Um erro comum durante o terceiro e o quarto mês de vida é presumir que, só porque o bebê se saiu bem até o momento, ele provavelmente não terá problemas no futuro. Nem sempre é isso que acontece. Continue a monitorar o crescimento de seu bebê ao longo do primeiro ano de vida.

7. Cuidado físico, carinho, pegar no colo. A falta desses gestos pode causar impacto na habilidade da criança de se desenvolver. É importante que as mães façam carinho, peguem no colo e conversem com o bebê várias vezes ao longo do dia. A rotina ajudará a proporcionar esses momentos, mas a mãe não deve ser a única a fazer carinho no bebê. O pai, os irmãos mais velhos, a avó e o avô são algumas das pessoas preferidas por seu bebê. Quanto mais amor, melhor.

8. Forçar demais ou ter muita pressa para alcançar o próximo marco de desenvolvimento. Conforme destacamos no capítulo 5, a mãe não pode decidir arbitrariamente eliminar uma mamada ou soneca, a menos que o bebê tenha a *capacidade* e a *habilidade* física de fazer o ajuste. A mesma advertência cabe aqui. Tome o cuidado de não comprometer a nutrição do bebê ao forçar demais sua agenda de desenvolvimento. Por exemplo, algumas mães não percebem os sinais de alerta de uma nutrição inadequada porque se concentram demais em estender o sono noturno. Se o bebê estiver rotineiramente acordado de 30 a 45 minutos depois de começar a soneca, isso pode estar mais ligado à nutrição inadequada ou à lactação do que ao início de maus hábitos de sono.

Causas ligadas ao bebê

O ganho de peso lento ou inexistente também pode estar diretamente ligado ao bebê. Há várias possibilidades:

1. *Sucção fraca*. Nesse caso, a criança não tem coordenação ou força suficiente para sugar de maneira apropriada, fazer a pega correta ou ativar o reflexo de descida do leite. O resultado é que o bebê recebe o primeiro leite, de baixo teor calórico, mas não o segundo leite, rico em calorias.

2. *Sucção inadequada*. Esse problema pode resultar de várias condições diferentes:

- *Empurrar o mamilo com a língua*: quando pega o seio, o bebê empurra a língua para frente e o mamilo para fora da boca.
- *Língua protusa*: acontece quando a língua forma um arco na boca, que interfere na pega correta.
- *Sucção da língua*: o bebê suga a própria língua.

3. *Um problema de saúde*. Uma sucção fraca ou que requer esforço excessivo (por exemplo, quando a criança se cansa após alguns minutos de amamentação e desiste) pode ser sintoma de falhas cardíacas ou neurológicas. Se você suspeitar que esse pode ser o caso, não espere até a próxima consulta marcada do bebê. Ligue imediatamente para o pediatra.

O que você precisa saber sobre as consultoras em lactação

Mesmo com todas as aulas que frequentamos, planos que fazemos e livros que lemos, às vezes a amamentação não transcorre bem. Pode ser muito frustrante nos primeiros dias ou nas semanas iniciais. Ali está você, segurando um pacotinho choroso, inquieto, com o rostinho vermelho (mas lindo), que se recusa a mamar e nenhuma intervenção parece resolver.

Talvez você precise da ajuda de uma consultora em lactação. São mulheres capacitadas para ajudar as mães com técnicas de amamentação. A clínica do pediatra e o hospital infantil costumam ter uma consultora em sua equipe, ou sabem indicar alguém. Alguns até lhe empurram uma consultora "certificada". No entanto, esse título não é garantia de competência nos conselhos. Ser "certificado" não é o mesmo que "diplomado", como no caso de profissões da área da saúde que incluem enfermeiros e médicos, nem garante que a informação recebida é a melhor para seu bebê. A maioria das consultoras dá informações competentes, mas nem todas. Há alguns sinais de alerta a que você deve ficar atenta ao falar com uma consultora.

Sinais de alerta

Tome cuidado com qualquer consultora que instruir você a contrariar as orientações médicas do pediatra. Você deve inclusive avisar o pediatra sobre essa pessoa e o que ela está aconselhando ou enviar suas preocupações para a secretaria de saúde municipal e estadual. Fique alerta também quando a consultora der um conselho que a Academia Norte-Americana de Pediatria adverte diretamente a não fazer, como sugerir que você durma com o bebê. Do mesmo modo, se você estiver ouvindo mais sobre filosofia de criação de filhos do que técnicas de amamentação, ou se for orientada a dar o peito de hora em hora, carregar o bebê num canguru ou qualquer outro conselho extremo, pense na possibilidade de procurar a ajuda de outra pessoa.

Se você encontrar uma consultora dando conselhos como os citados anteriormente, compartilhe o nome dela com outras mães em forma de advertência, em especial as que adotam a AOP. Conte para elas o que você descobriu. De igual forma, quando encontrar uma consultora simpática e útil, espalhe o nome dela para suas amigas.

O que as consultoras procuram

Se puder, agende a visita inicial perto de uma hora de comer. Normalmente, a consultora gosta de observar o bebê mamando. Ela também pesa o bebê e confere se a sucção é correta. Em seguida, ela levanta o histórico do bebê, com perguntas sobre a duração do trabalho de parto, o processo de nascimento, o peso do bebê ao nascer, sua alimentação, com que frequência o bebê é amamentado, entre outras. As informações registradas nas tabelas de crescimento saudável do bebê são úteis para a consultora. Elas proporcionam uma imagem geral de como a criança está se saindo. Certas condições, como mamilos planos ou invertidos, que às vezes dificultam a amamentação, podem ser modificadas ou corrigidas antes do nascimento. Se essa for sua situação, você pode se beneficiar ao marcar um horário com a consultora no início do terceiro trimestre de gestação.

Quando encontrar a consultora certa, compartilhe abertamente os momentos reais de alimentação e tudo aquilo que você está fazendo. Mesmo que as filosofias de criação de filhos sejam diferentes, qualquer intervenção técnica na lactação pode ser aplicada, quer você amamente por livre demanda do bebê, quer use uma rotina. Se ouvir algo que não pareça certo ou soe extremo demais, procure uma segunda opinião, lembrando sempre que o normal para os bebês da criação com apego nem sempre é normal para os bebês da AOP.

Em alguns casos, a intervenção e a correção são imediatas. Em outros, como na situação de bebês com sucção disfuncional ou desorganizada, reeducar a criança para sugar corretamente exigirá tempo e paciência de sua parte. Dependendo da circunstância, a consultora em lactação pode sugerir o uso de instrumentos como uma seringa (sem a agulha), alimentação com o dedo ou uma ferramenta de alimentação complementar para ensinar o bebê a mamar. Às vezes, essas técnicas funcionam; às vezes, não. Elas também podem demandar muito tempo. Discuta as escolhas com seu marido e tomem a decisão juntos. Se usar um instrumento, reavalie sua eficácia depois de um tempo.

A proficiência na amamentação costuma ser um assunto padrão nos cursos de preparação para o parto. Para obter auxílio extra, pense em fazer um curso sobre amamentação no hospital de sua região ou em assistir a um vídeo que ensine a amamentar. Você pode participar das aulas e aprender técnicas corretas de amamentação sem aceitar as filosofias pessoais de criação dos filhos do instrutor, que costumam acompanhar as aulas. Lembre-se de manter o equilíbrio no que se refere à amamentação. "Andar a segunda milha" para corrigir a dificuldade de amamentar ou decidir parar e dar mamadeira não são reflexos positivos ou negativos em seu papel de mãe. O importante é que seu marido e você escolham o que é melhor para o bebê. Ninguém mais pode tomar essa decisão, a não ser vocês.

Por fim, saiba que os profissionais independentes tendem a cobrar mais caro dos que os ligados a um consultório ou hospital. Confira com seu plano de saúde se os custos são cobertos.

Produção insuficiente de leite

Independentemente da filosofia de alimentação que você siga, não é possível acrescentar aquilo que a natureza não deu. A ansiedade criada pelo medo de falhar pode contribuir para a deficiência de leite. Coloca-se tanta culpa sobre as mães que não conseguem ser bem-sucedidas na amamentação que muitas delas recorrem a extremos para tentar produzir leite.

Na maioria das culturas, 5% das mães em tempo de paz e até 10% em tempo de guerra não produzem leite suficiente para satisfazer as necessidades nutricionais do bebê. Algumas podem ter leite o bastante até o terceiro mês, mas depois ter uma produção insuficiente. Às vezes, isso acontece mesmo que o bebê seja cooperador, sugue com frequência e a mãe use técnicas corretas de amamentação, tenha uma alimentação adequada, descanse bem e receba apoio do marido e da família.

Se você tem dúvidas sobre seu suprimento de leite

Se, a qualquer momento, você questionar a adequação de seu suprimento de leite, observar a inquietação rotineira do bebê depois das mamadas ou a criança tiver dificuldade de esperar o intervalo apropriado entre períodos de alimentação, examine as fontes externas de estresse em sua vida e elimine aquilo que puder. Isso vale tanto para um bebê de 4 semanas, quanto para um de 4 meses.

Faça a si mesma as seguintes perguntas: você está ocupada demais ou não dorme o suficiente? Está tomando líquidos o bastante? Seu consumo de calorias é adequado? Entrou de regime cedo demais ou está tomando pílulas anticoncepcionais? Está seguindo as recomendações do médico sobre as vitaminas suplementares durante a lactação? Analise também os aspectos técnicos ligados à alimentação. O bebê está na posição adequada e fez a pega correta? Ele faz uma refeição completa e mama em ambos os seios?

1. *Se você tem dúvidas sobre o suprimento de leite nos dois primeiros meses:* se o bebê tiver entre 3 e 8 semanas de vida, alimente-o numa rotina rígida a cada duas horas e meia por cinco a sete dias. Se a

produção de leite aumentar (um bebê mais satisfeito, que dorme melhor, demonstrará que isso ocorreu), esforce-se para voltar ao mínimo de três horas. Se não houver melhora, volte para a rotina de três horas com o auxílio do leite artificial complementar, para o benefício do bebê e para sua paz de espírito.

2. *Se você tem dúvidas sobre o suprimento de leite no quarto mês, os mesmos princípios básicos se aplicam a essa idade*: caso seu bebê tenha entre 4 e 6 meses e você tenha dúvidas quanto a seu suprimento de leite, tente acrescentar algumas mamadas à rotina diurna. Uma das mães que acompanhamos, também pediatra, percebeu que seu suprimento de leite estava diminuindo quando o bebê tinha 4 meses. Ela fez duas coisas: acrescentou uma quinta mamada ao dia e parou de fazer regime. Em menos de uma semana o suprimento de leite havia voltado ao normal.

Outras mães obtêm sucesso voltando para um horário relativamente rígido de três em três horas. Quando o suprimento de leite volta ao normal, elas retornam aos poucos à rotina anterior. Se não acontecer nenhuma melhora dentro de cinco a sete dias, pense em complementar com leite artificial. Acrescentar mamadas extras não é um retrocesso nos cuidados com seu bebê, mas uma decisão necessária para garantir o equilíbrio saudável entre a amamentação e os benefícios ligados à AOP.

O teste dos quatro dias

Você também pode fazer o teste dos quatro dias. Ofereça um complemento de 30 a 60 ml de leite artificial depois das mamadas. Em seguida, retire seu leite com uma bomba elétrica por dez minutos de cada lado. (As bombas manuais não são eficazes para esse propósito.) Observe quanto leite extra você produz. Se houver bastante leite, o problema está no bebê. Ele não está fazendo a pega correta ou é "preguiçoso" para mamar. Caso seu leite aumente por causa da ordenha, fato que ficará evidente pela quantidade de leite retirado ou pela recusa da complementação por parte do bebê, volte à amamentação exclusiva, mantendo uma rotina de três em três horas.

Se o estímulo adicional da bomba de tirar leite não aumentar sua produção, você examinou todos os fatores externos e descobriu que são compatíveis com a amamentação, pode ser que você esteja entre os 5% de mães que não conseguem produzir um suprimento suficiente de leite. Está pronta para desistir? Antes de dizer "essa sou eu!" e deixar a amamentação de vez, ligue para o pediatra e peça conselho. Pergunte se ele conhece uma mãe mais experiente que conseguiu reverter a situação. Ele também pode encaminhá-la para uma consultora em lactação. Lembre-se, existem muitas opiniões diferentes. Aprenda e descubra o que é melhor para sua família.

Anexo 5

Tabelas de crescimento saudável do bebê

Sinais de nutrição adequada

Tabela 1 — Primeira semana

Se você amamenta, monitorar o crescimento do bebê tem importância vital. Como saber se ele está se alimentando o suficiente para crescer? Existe uma série de indicadores objetivos de um crescimento saudável e da nutrição apropriada. Esses indicadores proporcionam orientação e retorno à mãe sobre como ela e o bebê estão se saindo. Os indicadores a seguir representam sinais saudáveis de crescimento durante a primeira semana de vida:

1. O bebê pega o peito e mama.
2. O bebê mama no mínimo oito vezes num período de 24 horas.
3. O bebê mama por mais de quinze minutos a cada refeição.
4. Você consegue ouvi-lo engolir o leite.
5. O bebê fez suas primeiras fezes, que se chamam mecônio. (Não se esqueça de informar à equipe de enfermagem que você está registrando os indicadores de crescimento de seu bebê.)
6. O padrão de evacuação do bebê progride do mecônio (preto esverdeado) para as fezes de transição (marrons e com consistência de massa firme), e depois para fezes amarelas no

quarto ou quinto dia. Esse é um dos sinais mais positivos de que o bebê está tomando leite suficiente.

7. Dentro de 24 a 48 horas, o bebê começa a molhar as fraldas (aumentando para duas ou três por dia). Ao fim da primeira semana, as fraldas molhadas se tornam cada vez mais frequentes.

Indicadores prejudiciais de crescimento na primeira semana:

1. O bebê não demonstra desejo de mamar ou suga com muita fraqueza.
2. O bebê não mama oito vezes num período de 24 horas.
3. O bebê se cansa rapidamente no seio e não consegue ficar pelo menos quinze minutos mamando.
4. O bebê sempre cai no sono enquanto mama, antes de fazer uma refeição completa.
5. Você ouve um barulho de clique acompanhado da formação de covas na bochecha do bebê durante a amamentação.
6. O padrão de evacuação do bebê não está progredindo para fezes amarelas dentro de uma semana.
7. O bebê não molhou nenhuma fralda depois de 48 horas do nascimento.

Usar a tabela para manter um registro dos indicadores vitais de saúde do bebê pode fazer a diferença entre o desenvolvimento saudável e doentio. Se quiser, faça uma cópia da tabela e a coloque num lugar conveniente (na porta da geladeira, acima do berço etc.). Assinale com um “x” ou faça a letra correspondente a cada ocorrência. Por exemplo, se o bebê mamar nove vezes no segundo dia, marque um “x” nove vezes. Se o bebê eliminar o primeiro mecônio do segundo dia, escreva “M” naquele dia. Saber o que é esperado e mensurar os resultados darão a você e a seu bebê um ótimo ponto de partida.

TABELA DE CRESCIMENTO SAUDÁVEL DO BEBÊ

Tabela 1 — Primeira semana

Peso ao nascer: ________ Kg Altura ao nascer: ________ cm

INDICADORES DE CRESCIMENTO SAUDÁVEL	DIA 1	DIA 2	DIA 3	DIA 4	DIA 5	DIA 6	DIA 7
Marque um "x" para cada período de alimentação do bebê num intervalo de 24 horas (mínimo de oito mamadas por dia).							
Marque um "x" para cada período de alimentação com duração igual ou superior a quinze minutos.							
Faça um "M" para a primeira evacuação (mecônio) e um "T" para cada vez que o bebê eliminar fezes de transição marrons.							
Faça um "A" todas as vezes que o bebê eliminar fezes amarelas (as fezes do leite devem aparecer por volta do quarto ou quinto dia).							
Marque um "x" para cada fralda molhada (elas devem começar a aparecer por volta de 48 horas de vida ou antes).							

7 – 10 dias: Peso: ________ Kg Altura: ________ cm

O desvio por dois dias consecutivos do que é considerado normal deve ser informado imediatamente ao pediatra.

Sinais de nutrição adequada

Tabela 2 — Segunda a quarta semana

Só porque as coisas foram bem na primeira semana não quer dizer que você pode relaxar no monitoramento dos sinais de crescimento de seu bebê. Depois da primeira semana, alguns dos indicadores de crescimento saudável começam a mudar. Esta tabela apresenta os indicadores de crescimento saudável que devem ser monitorados ao longo das próximas três semanas. Preste atenção às mudanças.

1. O bebê mama no mínimo oito vezes por dia.
2. O bebê elimina de duas a cinco fezes amarelas por dia ao longo das próximas três semanas. (Esse número provavelmente diminuirá depois do primeiro mês.)
3. O bebê deve começar a molhar de seis a oito fraldas por dia e encharcar algumas.
4. A urina do bebê é clara (não amarela).
5. O bebê suga forte, você vê leite e consegue ouvi-lo engolir.
6. Você percebe sinais crescentes de alerta durante a hora de ficar acordado.
7. O bebê está ganhando peso e crescendo.

Indicadores prejudiciais de crescimento:

1. O bebê mama menos de oito vezes por dia.
2. No primeiro mês, as fezes do bebê são pequenas, insuficientes e raras.
3. O bebê não molha a quantidade adequada de fraldas.
4. A urina do bebê é concentrada e amarelo-escura.
5. O bebê suga com fraqueza ou se cansa de sugar e você não consegue ouvi-lo engolir.
6. O bebê é lento ou demora a reagir aos estímulos e não dorme entre as mamadas.

7. O bebê não ganha peso ou não cresce. O médico orientará você sobre a melhor estratégia para resolver o problema.

O desvio por dois dias consecutivos do padrão listado anteriormente deve ser informado imediatamente ao pediatra. Usar a tabela para manter um registro dos indicadores vitais de saúde do bebê pode fazer a diferença entre o desenvolvimento saudável e doentio. Se quiser, faça cópias da tabela e coloque-as num lugar conveniente (na porta da geladeira, acima do berço etc.). Para sua tranquilidade, registre os resultados marcando "x" para cada ocorrência dos indicadores saudáveis. Por exemplo, seis fraldas molhadas na segunda-feira devem ser registradas com seis "x" no espaço correspondente. Saber o que é esperado e comparar os resultados ideais com os reais proporcionarão segurança e confiança a você enquanto seu bebê se desenvolve.

TABELA DE CRESCIMENTO SAUDÁVEL DO BEBÊ
Tabela 2 — Segunda a quarta semana

Resumo de cada dia

INDICADORES DE CRESCIMENTO SAUDÁVEL	SEG	TER	QUA	QUI	SEX	SÁB	DOM
Marque um "x" para cada período de alimentação do bebê num intervalo de 24 horas (mínimo de oito mamadas por dia).							
Marque um "x" para cada fralda molhada por dia com urina clara (norma: de cinco a sete).							
Marque um "x" para cada fralda molhada por dia com urina concentrada amarela (norma: zero).							
Marque um "x" todas as vezes que o bebê eliminar fezes amarelas (durante o primeiro mês, de duas a cinco por dia, ou mais).							

O desvio por dois dias consecutivos do que é considerado normal deve ser informado imediatamente ao pediatra.

Sinais de nutrição adequada

Tabela 3 — Quinta a décima semana

A terceira tabela só difere da segunda no número de fezes eliminadas. O restante é basicamente o mesmo. Continue a monitorar o crescimento de seu bebê, em especial depois que ele começar a dormir durante a noite.

Eis o *checklist*, para as próximas três semanas:

1. O bebê mama no mínimo de sete a oito vezes por dia.
2. O padrão de fezes do bebê muda de novo. Ele pode eliminar várias fezes pequenas ou uma grande. Pode evacuar várias vezes ao dia ou uma vez a cada dois dias.
3. O bebê deve molhar de seis a oito fraldas por dia e encharcar algumas.
4. A urina do bebê é clara, não amarela.
5. O bebê suga forte, você vê leite e consegue ouvi-lo engolir.
6. Você percebe sinais crescentes de alerta durante a hora de ficar acordado.
7. O bebê está ganhando peso e crescendo.

Indicadores prejudiciais de crescimento:

1. O bebê mama menos de sete vezes por dia.
2. O bebê não molha a quantidade adequada de fraldas de acordo com a idade.
3. A urina do bebê é concentrada e amarelo-escura.
4. O bebê suga com fraqueza ou se cansa de sugar e você não consegue ouvi-lo engolir.
5. O bebê é lento ou demora a reagir aos estímulos e não dorme entre as mamadas.
6. O bebê não ganha peso ou não cresce. O médico orientará você sobre a melhor estratégia para resolver o problema.

O desvio por dois dias consecutivos do padrão listado anteriormente deve ser informado imediatamente ao pediatra. Usar a tabela para manter um registro dos indicadores vitais de saúde do bebê pode fazer a diferença entre o desenvolvimento saudável e doentio. Se quiser, faça cópias da tabela e coloque-as num lugar conveniente (na porta da geladeira, acima do berço etc.). Para sua tranquilidade, registre os resultados marcando "x" para cada ocorrência dos indicadores saudáveis. Por exemplo, seis fraldas molhadas na segunda-feira devem ser registradas com seis "x" no espaço correspondente. Saber o que é esperado e comparar os resultados ideais com os reais proporcionarão segurança e confiança a você enquanto seu bebê se desenvolve.

TABELA DE CRESCIMENTO SAUDÁVEL DO BEBÊ

Tabela 3 — Quinta a décima semana

Resumo de cada dia

INDICADORES DE CRESCIMENTO SAUDÁVEL	SEG	TER	QUA	QUI	SEX	SÁB	DOM
Marque um "x" para cada período de alimentação (mínimo de sete a oito num intervalo de 24 horas).							
Marque um "x" para cada fralda molhada por dia com urina clara (norma: de cinco a sete).							
Marque um "x" para cada fralda molhada por dia com urina concentrada amarela (norma: zero).							
Marque um "x" todas as vezes que o bebê eliminar fezes no dia.							

O desvio por dois dias consecutivos do que é considerado normal deve ser informado imediatamente ao pediatra.

Índice de assuntos

A

acordar um bebê dormindo, 111, 231
advertências, 23, 58, 66, 119, 123, 183, 190, 271
alergias, 134, 137, 140, 143, 170
alimentação, 89, 117, *ver também* amamentação; lactação
 agrupamento de mamadas, 41, 43, 49, 63, 65, 142
 comer com as mãos, 106
 eliminar uma mamada, 107, 110
 exemplo de agenda de, 93
 filosofias de, 45
 hiperorganização dos horários de, 33
 introdução de alimentos sólidos na, 103, 133, 136, 137, 193, 197
 mamada completa, 63, 65, 68, 77
 orientada pela criança, 37, 41, 43
 peito versus mamadeira, 68, 80
 pelo relógio, 33, 41, 43
 por livre demanda, 32, 37, 41, 43, 50, 64, 68, 71, 159, 263
 princípio da última e da primeira mamada, 95
 via mamadeira, 32, 83, 84, 246
alimentação orientada pelos pais (AOP), 40, 41, 45, 54, 63, 64, 68, 72, 80, 94, 159, 173, 248, 264
 em estágio avançado, 256
amamentação, 32, 45, 89, 258, *ver também* alimentação; lactação
 benefícios da, 62, 79
 de múltiplos, 181, 208
 desafios da, 78, 231
 excesso de mamadas, 72, 175
 hiperorganização dos horários de, 267
 lactação, 74
 mamada completa, 63, 68, 77
 mamada dos sonhos, 104
 períodos de, 41, 72, 73, 74, 75, 78, 234

posicionamento durante a, 70
primeira semana de, 74, 78, 107, 112
problemas na, 269
reflexo de descida do leite na, 67, 74, 245, 267, 269
sinais de fome, 32
sintomas de desidratação, 229
tendências de, 63
ambiente do lar, 18, 21, 23, 136
andador, 123
arroto, 65, 77, 86, 112, 134, 174, 250
assadura, 133, 196, 204, 226
atividades da hora de ficar acordado, 124, 196, 215
avós, 24, 81, 117, 118, 182

B

babá eletrônica, 59, 191
balanço para bebês, 122, 192
bebê
banho do, 183, 227
cuidados com o, 28, 68, 228
doente, 133, 138, 190, 229
e o sono, 212
equipamentos para o, 121, 124, 194
hora de brincar, 120, 209
irritadiço, 249
lista de responsabilidades com o, 28
problemas de sucção do, 269
sistema imunológico do, 62, 73, 190, 206
sono e o, 148
sonolento, 75, 77, 107, 231
behavioristas, 33, 35, 152
berçário, 114, 255
berço, 59, 87, 128, 193, 204
móbiles e barras de brinquedo para o, 124, 136, 147

C

cadeira
Bumbo®, 123
de balanço (*bouncer*), 113, 121
de descanso, 120, 193
para carro, 145, 194
candidíase oral, 235
casamento, papel na criação dos filhos, 14, 22, 26, 29
cercadinho, 124, 194, 215
cesariana, 70, 185, 206, 241
choro, 128, 162, 177
anormal, 156
bloqueio do, 127, 153
normal, 158
que exige atenção, 149, 162
soneca e, 128
chupar o dedo, 184
chupeta, 78, 169, 176, 184
ciclos de comer e ficar acordado, 49, 91, 96, 113, 135
circuncisão, 228, 243
cobertinha, hora da, 196
cochilo, 103, 104
cólica, 170, 177

colostro, 73, 74, 233, 241, 259
consultora em lactação, 234, 242, 272
crescimento do bebê
indicadores prejudiciais do, 264
indicadores saudáveis do, 264
moniotramento do, 275
criação com apego (CA), 14, 34, 36, 37, 39, 153, 271
criação natural, 36
crosta láctea, 186
cueiro, 120, 169, 176, 190
cuidados com a mãe, 66, 170, 230
cuidados com o cordão umbilical, 183, 225, 241, 243

D

deitar de bruços, 122
dentição, 133, 187, 195
depressão pós-parto (DPP), 188
desafio de acordar mais cedo, 197
desafios da amamentação, 78, 231
desafios de acordar mais cedo, 148
desidratação, 230
desmame, 189
doença do refluxo gastroesofágico (DRGE), 173
dormir com o bebê, 59

E

equipamento. *Veja também* cadeira, cercadinho, balanço para bebês
equipamentos, 121, 194
babá eletrônica, 191
balanço para bebês, 192
berço, 193
cercadinho, 194, 215
escala de Apgar, 217
escola neoprimitivista do desenvolvimento infantil, 34, 35

F

fadiga
da mãe, 11, 14, 42, 43, 62, 64, 72, 142
do bebê, 55, 63, 129, 135
falha no desenvolvimento, 42, 266
febre e doença, 133, 138, 190, 229
fraldas, 196, 205, 226
fusão
gatilhos da, 107
princípios da, 96

G

ganho de peso
padrão normal de, 265
questões relacionadas ao, 73, 76

H

higiene, 68
hiperplasia sebácea, 219
hora do sofá, 25

I

icterícia, 228, 242, 248

L

lactação, 70, 73, 74, 141, 142, 236, 253, 256, 259
lactase, 143
lactose, 73, 134, 144, 171
  intolerância à, 82
leite artificial, 51, 65, 83
leite insuficiente, 134, 142, 239, 266, 273
leite materno
  armazenamento do, 231, 233
  bomba de tirar, 206, 232, 239, 274
  colostro, 73, 74, 233, 241, 259
  descongelamento do, 233
  de transição, 73
  digestão do, 62, 65, 68, 229
  leite maduro, 73, 74
  ordenha do, 233
  primeiro leite, 66, 73, 269
  produção de, 43, 66, 102, 104, 149, 160, 230, 238
  segundo leite, 63, 67, 144, 238, 269
  suprimento excessivo de, 144, 238
  suprimento insuficiente de, 134, 142, 239, 266, 273
  teste dos quatro dias, 275
  três fases do, 74

M

mamadeira, 198, 231
  bicos de, 81, 175, 246
  tipos de, 81, 84, 169
marcas de nascença, 221
mecônio, 73, 241, 249, 259, 276
medição da temperatura do bebê, 230
micro-ondas, aquecer mamadeira no, 198
mitos sobre criação de filhos, 240
morte no berço. *Veja* síndrome da morte súbita do lactente (SMSL)
múltiplos, 215
  amamentação de, 181

N

namoro, 25
nascimento prematuro, 200, 201, 204, 207, 208, 220, 231, 251
nível de desenvolvimento, 201

O

ocitocina, 67
o que esperar, 246

P

padrão de sono ativo (PSA), 52
padrão de sono tranquilo (PST), 52
padrões de evacuação, 89, 259, 263
períodos de amamentação, 41, 64, 73, 74, 75, 78
peso ao nascer, 76
pico de crescimento, 79, 99, 133, 137, 149, 243

posições de amamentação, 70
preocupações com o ganho de peso, 231, 255, 264
princípio do efeito dominó, , 40, 29, 45, 48, 143, 200
princípio para o cuidados dos filhos, 30
problemas com os seios
canal entupido, 235, 236
mamilos doloridos, 237
mamilos invertidos, 236
mamilos planos, 271
mastite, 235
obstrução, 234
sensibilidade (ou encaroçamento), 234
produção de leite, 65, 66
prolactina, 67
psicose pós-parto, 188

Q

questões relacionadas ao ganho de peso, 42

R

Rank, Otto, 34, 36
recém-nascido
características dos, 224
fontanela (moleira), 218
lanugo, 220
manchas mongólicas, 221
marcas de nascença do, 221
primeiras semanas, 87, 113
primeiros dias do, 26, 54, 59, 72, 73, 74, 78, 242
reflexos dos, 224
reflexo de descida do leite, 67, 74, 245, 267, 269
refluxo, 87, 121, 133, 139, 177
refluxo gastroesofágico (RGE), 86, 173
regurgitação, 86, 173, 175, 213
ritmo circadiano, 129, 146
rotina
consolidação da, 40, 48, 60, 115
exemplo de, 93
flexibilidade da, 91, 95, 114, 135, 145
orientações gerais, 91, 96, 113

S

sapinho, 235, 245. *Ver também*, candidíase oral
segundo leite, 73
sinais de fome, 32, 41, 42, 44, 64, 78, 79, 152
síndrome da morte súbita do lactente (SMSL), 58, 61, 121, 169, 177, 183, 191, 199
síndrome do torniquete, 133, 138
sintomas de desidratação, 229
sistema imunológico, 62, 73, 206
soluço, 88, 222
soneca, 13, 40, 55, 72, 79, 128
choro e, 128, 145, 149, 156, 159
desafios relacionados à, 148

excesso de estímulo, 135, 168, 250
perturbação da, 148
resumo sobre a, 127
sono
bebês e o, 60, 148
cochilo, 103, 104
excesso de estímulo, 136, 145, 147, 168, 250
indutores do, 59
luz solar, 135, 146
orientações sobre o, 111, 252
padrões saudáveis de, 56
verdades sobre o, 51
sonolência, 56, 75, 77, 135, 207, 228, 231, 241, 242
Spock, Benjamim, 35

T

teoria do trauma do nascimento, 34, 39, 153
termômetros, 230
tristeza pós-parto, 188

V

vacinas, 202
vínculo, teoria do, 185
vômito, 81, 86, 140, 223, 229, 251

Notas

Capítulo 2

[1] O dr. Rupert Rogers escreveu sobre os problemas da amamentação durante os anos 1930 e 1940. Ele instruiu as mães a serem antiquadas. O que queria dizer com isso? Aconselhou que elas voltassem a períodos de amamentação organizados da seguinte forma: às 6, 9, 12, 15, 18, 22 horas e quando o bebê acordasse durante a noite. Embora esse tipo de alimentação tivesse horários, não era considerado uma espécie de alimentação por horários. O termo "horário" se referia mais a uma técnica de alimentação do que a uma rotina. *Mother's Encyclopedia*, p. 122.

[2] Margaret RIBBLE, *The Rights of Infants*.

[3] Boyd MCCANDLESS, *Children and Adolescents*, p. 13-14.

[4] William SEARS e Martha SEARS, *The Baby Book*, p. 343.

[5] *Journal of Human Lactation*, p. 101.

[6] Idem.

Capítulo 3

[1] Essa conclusão foi extraída de um estudo baseado em 32 pares de mãe e bebê observados por dois anos. Dezesseis famílias seguiam a alimentação por livre demanda do bebê e as outras dezesseis não. "Sleep-Wake Patterns of Breastfed Infants in the First Two Years of Life", *Pediatrics* 77, p. 328.

[2] P. 44.

[3] Idem, p. 6.

[4] "Does Bed Sharing Affect the Risk of SIDS?", *Pediatrics* 100, p. 727.

[5] *Pediatrics*, 116, p. 1247.

Capítulo 4

[1] *Pediatrics*, 100, p. 1036.

[2] Idem.

[3] Ver <*http://www.cdc.gov/breastfeeding/data/index.htm*>.

[4] Ver a obra de Nancy Butte, Cathy Wills, Cynthia Jean, E. O'Brian Smith e Cutberto Garza, "Feeding Patterns of Exclusively Breastfed Infants During the First Four Months of Life".

[5] Fontes que apoiam essa quantidade diária de mamadas: *American Academy of Pediatrics Policy Statements*, p. 1037; Frank Oski, *Principles and Practice of Pediatrics*, p. 307; Richard E. Behrman, Victor C. Vaughan, Waldo E. Nelson, *Nelson's Textbook of Pediatrics*, p. 124; Kathleen Huggins, *The Nursing Mother's Companion*, p. 35; Jan Riordan, Kathleen Auerbach, *Breastfeeding and Human Lactation*, p. 188, 189, 246.

[6] As mães que amamentam às vezes recebem a advertência de não usar a mamadeira. A preocupação é com a "confusão de bicos". Acredita-se que o bebê ficará confuso e recusará o seio caso lhe ofereçam a mamadeira. Sob circunstâncias normais, não costuma haver necessidade de dar mamadeira ao recém-nascido que mama no peito durante as primeiras semanas de vida; no entanto, chegará o momento em que a mamadeira será um auxílio bem-vindo. Depois dos primeiros dias de amamentação, a suplementação via mamadeira raramente causará "confusão de bicos". Kathleen Huggins, *The Nursing Mother's Companion*, p. 73.

[7] No Brasil, contamos com a Anvisa (Agência Nacional de Vigilância Sanitária). [N. do T.]

Capítulo 7

[1] *Caring for Your Baby and Young Child — Birth to Age 5: The Complete and Authoritative Guide*, p. 34-47.

[2] Pesquisa citada por Mary Howell em *The Healthy Baby*, p. 27.

[3] Idem, p. 189.

[4] Idem, p. 188-189.

[5] Idem, p. 36.

Capítulo 9

[1] O dr. Michael E. Lamb, do Departamento de Pediatria da Faculdade de Medicina da Universidade de Utah, resume nosso posicionamento: "A preponderância de evidências sugere, portanto, que o contato estendido [a teoria do vínculo] não tem consequências claras sobre o comportamento materno". *Pediatrics*, 70, n.º 5, p. 768.

[2] Confira uma excelente objeção ao mito da teoria do vínculo em Diane Eyer, *Mother-InfantBonding: A Scientific Fiction.*

[3] O objetivo da "hora da cobertinha" é ensinar o bebê a ficar em um lugar determinado, sem barreiras físicas, e ensiná-lo a permanecer lá. Estende-se a cobertinha no chão, ou em qualquer outra superfície, e treina-se o bebê para que brinque dentro dos limites estabelecidos pela coberta. (N. do T.)

[4] *Pediatrics*, agosto de 1997, p. 272.

[5] No Brasil, o órgão que coordena as campanhas de vacinação é o Programa Nacional de Imunizações (PNI) da Secretaria de Vigilância em Saúde do Ministério da Saúde. No Portal da Saúde, do governo brasileiro (<http://portalsaude.saude.gov.br/portalsaude/>) é possível encontrar o calendário atualizado das campanhas de vacinação infantil. (N. do T.)

Bibliografia

American Academy of Pediatrics, "Does Bed Sharing Affect the Risk of SIDS?", *Pediatrics*, 100, n.º 2, ago. de 1997.

———, *Pediatrics*, 100, n.º 6, dez. de 1997.

American Academy of Pediatrics Policy Statements, *Pediatrics*, vol. 116, n.º 5, nov. de 2005.

BEHRMAN, Richard E.; VAUGHAN, Victor C.; NELSON, Waldo E. *Nelsons Textbook of Pediatrics*. 13ª ed. Philadelphia: W.B. Saunders Company, 1987.

BUTTE, Nancy; WILLS, Cathy; JEAN, Cynthia; SMITH, E. O'Brian; GARZA, Cutberto. "Feeding Patterns of Exclusively Breastfed Infants During the First Four Months of Life". Houston: USDA/ARS Children's Nutrition Research Center, 1985.

EYER, Diane. *Mother-Infant Bonding: A Scientific Fiction*. New Haven: Yale University Press, 1992.

HOWELL, Mary. "Baby!" em *The Healthy Baby*, vol. 2, n.º 2, 1987.

HUGGINS, Kathleen. *The Nursing Mother's Companion*. 3ª ed. Boston: Harvard Common Press, 1995.

Journal of Human Lactation, vol. 14, n.º 2, jun. de 1998.

LAMB, Michael E. em: *Pediatrics*, 70, n.º 5, nov. de 1982.

MCCANDLESS, Boyd. *Children and Adolescents*. New York: Holt, Rinehart and Winston, 1961.

Mother's Encyclopedia. New York: The Parents Institute, Inc., 1951.

OSKI, Frank. *Principles and Practice of Pediatrics*. 2ª ed. Philadelphia: J. B. Lippincott Company, 1994.

RIBBLE, Margaret. *The Rights of Infants*. New York: Columbia University Press, 1943.

RIORDAN, Jan; AUERBACH, Kathleen. *Breastfeeding and Human Lactation*. Sudbury: Jones and Bartlett Publishers, 1993.

SEARS, William; SEARS, Martha. *The Baby Book*. Boston: Little, Brown & Company, 1993.

SHELOV, Steven P. (Ed.). *Caring for Your Baby and Young Child — Birth to Age 5: The Complete and Authoritative Guide* (The American Academy of Pediatrics). New York: Bantam Books, 1998.

"Sleep-Wake Patterns of Breastfed Infants in the First Two Years of Life", *Pediatrics* 77, n.º 3, mar. de 1986.

SPOCK, Benjamin. *Meu filho, meu tesouro: como criar seus filhos com bom--senso e carinho*. Rio de Janeiro: Record, 1999.

WEISSBLUTH, Marc. *Healthy Sleep Habits, Happy Child*. New York: Ballantine Books, 1987.

Compartilhe suas impressões de leitura escrevendo para:
opiniao-do-leitor@mundocristao.com.br
Acesse nosso *site*: www.mundocristao.com.br

Diagramação: Luciana Di Iorio
Preparação: Daila Fanny
Revisão: Sandra Silva
Gráfica: Assahi
Fonte: Adobe Caslon
Papel: Offset 63 g/m² (miolo)
Cartão 250 g/m² (capa)